文學叢刊

心海索隱

葉于模著

文史哲出版社印行

國家圖書館出版品預行編目資料

心海索隱 / 葉于模著. --初版. -- 臺北市：
文史哲, 民 104.07
197 頁 21 公分.（文學叢刊；351）
ISBN 978-956-314-267-6 (平裝)

855　　　　104013457

文學叢刊 351

心海索隱

著　者：葉于模
出版者：文史哲出版社
http://www.lapen.com.tw
登記證字號：行政院新聞局版臺業字五三三七號
發行人：彭正雄
發行所：文史哲出版社
印刷者：文史哲出版社
臺北市羅斯福路一段七十二巷四號
郵政劃撥帳號：一六一八〇一七五
電話886-2-23511028・傳真886-2-23965656

定價新臺幣三二〇元

二〇一五年（民一〇四）七月初版

ISBN 978-956-314-267-6　　09351

千萬個感恩與感想（自序）

年歲愈大、病痛愈多，使寫作興趣急遽銳減。雖然還在幾家報刊撰寫社論，那只是為了賺些零用錢喝杯咖啡，寫作與興趣已慢慢脫勾。

這本小冊子文章，均在各大報發表過，談不上文采斐然，應該會有一些啟發性作用。我深信，老作家的古文根基都不錯，可惜並不適合當下年輕人胃口，我記得有位比我還老的名作家，很感慨的說：「文章最怕不適時」，他發現自己文章已沒有報刊想登載，更沒有出版社會替他出版，空有一生盛名，卻落得無比消沉。我還記得有位在新聞界頗有份量老前輩，他寫了不少時政評論類短文，退休時，竟然要自掏腰包精印了三大冊，分送親朋好友珍藏，回想他們處境，我很感傷。幸好我比他們略為幸運些，每本書總算如願由出版社替我出版，其實我並不在乎自己有多少版稅，卻很擔心他們為我賠錢。

我早進入半退休狀態，現在比較清閒，有時會把過去發表的舊作拿出來整理一番，我意外發現自己累積的剪報，可以再出好幾本書，最令我頭痛的，就是拿到那裡去出版？以前替我出版的一些頗有名氣的出版商，倒的倒，關的關，剩下的也奄奄一息，主要是現在出版界普遍不景氣。君不見，台北市重慶南路一帶的大小書店，家家都在那兒苦撐，有位認識多年的大老闆，碰到我時就先嘆一口氣，然後大吐苦水，我只好安慰他，總有時來運轉的時候。

我年輕時，很自私，隨著年齡的增長，慢慢體認到寬恕和悲天憫人的真諦。我發現這個社會有太多跟我一樣自私的人，整天在一塊勾心鬥角、你虞我詐，缺乏一種真誠的包容以及奉獻犧牲精神，結果大家都活得很痛苦，如果能多給別人一點慈悲，多一點忍讓，這個世界一定會變得更加美好。這本書沒有深奧的文字，雋永的詞藻，卻有不少深思熟慮的慧根，只要細心去閱讀，保證會有些許收獲。

我很同情杜甫的際遇、或許我不是專業作家，寫作只是我的「副業」，生活過得比較舒坦。我不贊成每個作家都過著「苦哈哈」日子，人窮志短，太苦，真會度日如年，何苦呢？現在年輕作家，如果不是「靠爸族」，若單靠寫文章養家餬口，確是一件很辛酸的煎熬。我認為文化部每年都編列那麼多預算，除應積極推展文創事業外，更應該寬列經費，多給年輕作家一些補助，讓他們在無後顧之憂下，能專心寫作，繳出紮實的成績單。

這本書封面，是取自內子吳佩之的畫作，她頗具藝術天份，曾任機關社團插花老師，並獲得日本頒發合格教授證書，同時她也愛好繪畫和音樂，多次拜師學畫，談不上很夠水準，但尚稱獨具一格，我採用它做封面，不是替她捧場，僅是希望能藉此為子女留些紀念和回憶。

「心海索隱」這四個字，幾乎是我撰寫「專欄」的「註冊商標」。遠在民國七十三年，我就在青年戰士報及青年周刊用這個名稱寫專欄，隨後在「仕女雜誌」、「公務員月刊」、「中央日報」副刊均沿用「心海索隱」做為專欄名稱，這四個字跟我一生結下不解之緣。由於我在大學講授心理學課程長達數十年，我很想透過人類心靈深處，去探索其思維軌跡及其感情脈絡所反應出來的行為傾向，以啟發年輕朋友待人處事的圓融哲理。

出書是每個作家最愜意事情，當我把這本裝訂成冊的初稿，拿給文史哲出版社老闆彭正雄時，並不抱太大希望，他是我的老朋友，很熱忱接待我，我言明來意後，他表示讓他看看再做決定，我欣然同意，經過一段時間，他就來電告訴我可以替我出書，我很開心。文史哲出了不少好書，我在中國文藝協會當了六年秘書長，認識了許許多多傑出文人，像張放、孫如陵、徐天榮、落蒂等，都在文史哲出過書，反應不錯。彭老闆為人正直，對出版事業有一份執著的使命感。

寫作難，出版更難；難怪電影明星多不希望子女繼其衣鉢，作家也不樂見下一代過著搖筆桿生活。不過，很多事情總得有人去做，或許此刻不宜，過些時日又大走鴻運，人生際遇無常，行業也隨時變動，沒有最好或最壞的行業，只有最好和最壞的機遇。

心海索隱

目　次

千萬個感恩與感想（自序）……一
忘我情懷……九
自我期許……一三
人窮志別短……一六
死而有疚……二〇
我為什麼要保密……二三
偶像的幻滅……二六
不知與不為……三〇
堅韌的內心……三四
心結難解……三七
脆弱的榮耀……四一
從寂寞出發……四四
出招封喉……四七
不要自我軟弱……五〇
相見語依依……五三
別小看自己……五七
三溫暖……六一
社會困境……六四
心平如水……六八
萬萬珍重……七一
他很土，可是很憨厚……七四
藝術中的色情……七八

裸與性……八二
人生像霧不像花……八六
抖盡心中的雨水……八八
心捲千堆情……九〇
深情比醋酸……九二
撫平心靈的愁緒……九四
心中的天秤……九六
孝 思……九八
心心交契……一〇〇
風雨相催點點愁……一〇二
大江怨東去……一〇四
負我千行淚……一〇六
求名求利求心安……一〇八
更抱佳人「吻」幾回……一一〇
風雲再起……一一二
哭泣的心靈……一一四
英雄不死……一一六
天地聾啞心獨痛……一一八
心「官」腦「肥」……一二〇
掌聲響起……一二二
刺骨的敵意……一二四
幾度高樓映落霞……一二六
當雨季再來時候……一二八
心到美時人就美……一三〇
無私的風範……一三二
滿山落葉鳥空啼……一三四
千山千水千種情……一三六
永遠的單身貴族……一三九
心生悲風怨春雨……一四一
獨留巧思傳千古……一四三
震撼的迷惘……一四五
落花時節未逢君……一四七

宗教慈輝……一四九
四遊海洋公園……一五一
羅東，那可愛的小鎮……一五三
人性的沉淪……一五五
臺灣，心靈的故鄉……一五七
只愛咖啡不愛茶……一五九
一代清才萬里心……一六一
思考的智慧……一六三
雞鳴天下白……一六五
海天無窮願無盡……一六七
素餐比盛宴美好……一七〇
夢裡歲月都是淚……一七二
羨貓嫉狗　先學做人……一七四
骨凜秋霜氣自豪……一七六
憂道也憂貧……一七八
奇外無奇更出奇……一八〇
富商秘笈……一八二
臨刑猶有豪勇情……一八四
風箏誤……一八六
與良心對話……一八八
沒有不輸的贏家……一九〇
真愛一世恩……一九二
錢多不比錢少的好……一九四
悲喜渡眾生……一九六
夢回漢城……一九八
淨化心靈……二〇〇
我心常存知友情……二〇四
灰色的慌亂……二〇九
以至大的愛包容至大的罪……二一三
拳王失態……二一五
良知的衝擊……二一七
皇冠的榮彩……二二一

賢妻與情婦……二二三
刻毒與無聊……二二五
文人重德操……二二八
散步的幽思……二三〇
忠臣與良臣……二三二
新好男人……二三四
衝出「盲點」……二三六
曼德拉婚變……二三八
恰到好處……二四〇
風凄雨冷英雄淚……二四四
愛得好美……二四六
春去花枝老……二五〇
觀光王國……二五四
藝苑春曉……二五七
明天的期待……二六一

忘我情懷

幾個月前，我到一所學校上了四節課，又匆匆忙忙地趕到報社發了二篇稿，感到相當疲倦，因為那天沒有開車，又攔不到計程車，當「二七〇」公車出現時，我就毫不考慮地跳上去再說，結果我很幸運發現剛好剩下一個座位，於是我很自然坐下去，過了二站，又上來一位身材瘦小站立不穩的老太太，這時我側坐的一位鶴髮慈眉的老先生馬上站起來讓位給她坐，我一時也坐立不安，只好讓老先生來坐我的位子，我心裡想，他都能「忘我」，難道我就不該「忘我」嗎？

當然，忘我並不容易，需要一點歷練和修養，以前，我讓位子，都是為了「尊老」，現在，我自己已不再年輕，所以，讓位純粹為了「忘我」。我絕不是在這兒自吹自捧，我這樣做，完完全全是受老先生的感化，其實，世上有很多事情，都是在無意中學習與模仿得來的，你既然需要向別人看齊，那你為什麼不能也做一點表率讓別人效法呢？盲作家海倫凱勒就曾經告訴一個大學生，一個人最大的快樂就是——「忘我」。忘我的真諦，在於不自私，並關懷別人，用犧牲奉獻的心志來充實自己生命的內涵。這個道理很簡單，但需要付出很大的真誠和愛心。以前，我總認為這是唱高調，現在，想想，挺有道理的，如果每一個人都把「我」擺在最顯著的地位，那麼，每一個人都將忽略掉別人的存在性和高貴感，當所有人都「唯我獨尊」時候，這個社會怎麼不出現更多的爭執，和更多的傷痕呢？

我一個朋友到大陸探親，在成都附近的公共場所，不留心被路人踩了一腳，他很不高興責問對方：「你踩人家腳，怎麼也不道歉？」對方答得很玄：「我踩你腳，踩了活該！」他知道大陸人口眾多，大家心浮氣躁，也沒有什麼理好說。嚴格說，他們都只注意到「自我」，而忘掉「他我」，以致產生這種尷尬的場面。一個忘我的人，他活得很積極，他崇尚真理，愛好和平，篤信公義，他很會包容異己，寬恕敵人，耳無俗聲，眼無俗物，胸無俗事，對人無怨、無恨、無嫉妒，他把認識的人都看得很尊貴，他堅守道德信條，珍惜感情，他希望自己快樂，也希望別人過得很好，他縱使平平凡凡過一生，但卻是處處受人敬重，也許，他僅僅是一個微不足道的小人物，可是他過的日子竟是如此的豐富而深具意義。以「火燒摩天樓」裡的男主角德克羅勒來說，他原是社會上一個小人物，在大樓起火時，就決心犧牲自己，留守現場，沒想到爭先恐後出去的人，有些竟摔死地面或葬身火海，而他在臨危時卻從容獲救，這一方面由於天意使然，另一方面則完全是他的忘我天性保存了他的生命，可見忘我有時會有意外的福分。

忘我是一種德性的昇華，可減弱自私的意念，以調節個人主義的步調，來配合群體共生的樂趣。忘我的人，他的著眼點很廣，看得層面很深，他可以想到很多人，也可以替很多人做事。湯麥斯（Thomas）認為人類只有四大願望，但鮑格達（E. S. Bogardus）則強調人類還有一個更重要的願望，那就是「助人願望」，這個論點很受人家歡迎，事實亦復如此。據布朗（A. Broom）報導，曾有一位新幾內亞土人，他不懂英語，但他卻替一個澳洲傷患士兵包紮傷口，並整整花了二天二夜時間，引導他通過營區的叢林地帶，這種真情流露，就是忘我精神的具體表現。人原為自私動物，但我們必須使他不再自私，讓他感受到別人對我這樣有情有義，我能無心無肝嗎？忘我精神最好能從行為性改變（Behavioral change），來強化他博愛的人生理念。

我有一個很有學問朋友提醒我，這個社會上最重要的兩件東西是：「權」和「錢」。像他這樣高水準的知識分子，每天追求的僅是這兩件東西，那麼其他的人又怎能讓他「忘我」呢？不錯，我這個朋友，可能他就缺權缺錢，使他感受到心理的威脅，可是，他忘掉一個很微妙的哲理，因為他太渴望名利，所以他永遠也得不到。

我們都不是聖人，若要我們完全忘我，那是不可能的事情，不過，我們可以約束自己，鞭策自己，鼓舞自己，朝向一個愛人愛己的方向去努力。人跟人相處，不單單是想得到什麼，也應該知道該付出什麼。有一次，我在台北市新生南路附近，看到一起車禍，一個滿腿是血的司機，抱著一個受傷的老太太，往幾百公尺處的一所醫院狂奔而去，我當時很感動，覺得這個司機不失為一個有血性的男子，或許他是闖了禍，但他表現的忘我精神，依然難能可貴。忘我是受強烈的向善動機的驅使，他把執著的愛化成一股力量，在適度時機流露出來。你和我，都是人，所以，我們也都應該發揮高尚的忘我精神。

自我期許

上課時，學生缺席九個，我心中極為震怒，一向不主張點名的我，也只好用點名來表示我對他們的不滿和警告，結果下次上課時，竟然教室爆滿，我立刻想起麥克杜葛（Donglas McGregor）的X理論，人真的多是好逸惡勞和不求上進的被動傢伙嗎？

老實說，人的確有惰性，但假若你有強烈的自我期許，這種惰性就會消失無蹤。所以，每一個人都必須鞭策自己，讓自己有目標地往前直衝。在銀幕上，我們常會發現一個騎士揮舞他的皮鞭使馬飛馳而去，難道人也需要皮鞭才能夠發揮作用嗎？其實揮鞭也沒有關係，而這根鞭應該掌握在自己手裡，否則，人和禽獸要有什麼尊嚴懸殊的區別呢？

研究社會學或心理學的人都知道，人的出生次序多少會影響他的人格成長。我們且看一段記載：如果家中只有三個孩子，老大多是富有責任感小孩（The responsible child），老二喜歡社交，老三是嬌生慣養的寵兒（The spoil child）。如果有更多小孩，那麼，老四常是蝴蝶型小孩，老五專心研究與人無爭，老六顯得孤立無比，只關心自己事情。雖然這不是絕對的發展模式，但至少有這種傾向。現在，你不妨想想，你的排行有受到這種模式影響嗎？當然，這不嚴重，主要的是看你，你對自己有什麼期許。像心理學家研究發現，美國歷史上危急時，被選出來擔任總統職務的一定是長子或獨子，你相信嗎？儘管美國有這樣現象，難道其他國家也是這樣嗎？假如其他國家都不是這樣，那麼，美國可能僅是一種巧合，又具有什麼價值呢？好了，不管你是老二，乃至你是老五，你都必須記得一點，那就是：我也是人，我也有足夠的條件，做別人能做的事情。

我認識一個女孩，只有高商畢業，比她二個姊姊和一個么妹的學歷都差，可是最受父親的寵愛，因為她心細、膽大、工作勤快，而且又有耐心和愛心，因此，不但她在工作上表現得很優異，就連她幾個姊妹也莫不敬畏她三分，我發現她最大成功的本錢，就是她懂得自我期許的意義。

凡是有自我期許的人，成功可能性比較大，但並不表示他一定會成功，如果他真想成功，他必須先設定幾個條件：

第一、心中有一個熱熾盼望達成的理想目標。

第二、個人有腳踏實地的幹勁，願意為理想目標付出最大代價。

第三、不要輕易被別人擊倒，更不要輕易被自己擊倒，目標可以訂得稍高，但不能偏離可行性和可能性。

第五、能夠排除一切阻力，深信在人生跑道上能跑出一條平坦的路線。

第六、忠心於友誼，忠心於親情、忠心於工作友伴，更重要的，要忠心於自己的良知與信念，鞭策自己，督促自己，守著那一點高貴的自尊。

許多人因為有自我期許，他們最後都達成了意願，像南丁格爾（Nightingale）她想拯救世人，所以她在病重時候，還去改建英倫醫院。像魯德威克（Ludwig），他想成為傳記作家。不斷到處遊歷、廣集資料，四十歲就已蜚聲國際文壇。像南丁格爾，像魯德威克，不能因為他們成功了，就說他們比我們條件好，其實，我們也可以成功，端看我們的自我期許是否很強、很濃烈、很堅定！從二十世紀三十年代起，全世界婦女都增強了自我期許的意識，她們公開向社會挑戰，終於煎熬出許多傑出女強人，這證實自我期許確是推動成功齒輪向前邁進的原動力。蔡松坡，這位革命先烈，對自己就有很堅定的期許，他曾慨然賦詩：「敢唱滿江紅一闕，從頭收拾舊山河。」他求仁得仁多教人欽羨。

自我期許是一種力量，一份信仰，一股衝動。自我期許也是自我駕馭，自我督促，和自我肯定。讓自己勤勞耕耘，杜絕怠惰，培養德性，隨時拔除邪惡，驅散隱敵，學習忠誠、堅忍、慷慨、通達、善美和高尚尊嚴的精神，無畏風雨，無畏挫折，永遠自信、自強，盡心盡意地表現獨立精神。能自我期許的人不怕別人批評，不軟弱、不自欺、不做自己的敵人，他知道自己的優點與缺點，能改進、能自新、能暗地裡為自己立下誓願，他一定是成功的人，因為他完完全全地主宰了自己。

人窮志別短

舊金山市政府對面的廣場上，經常有一群流浪漢，公然攜家帶眷露宿其間，市政府還要每天象徵性地供應一二餐，以免餓死招惹麻煩，這些窮人終年無所事事，好像活著等死，但卻沒有半點想死的味道，留給世人是一種莫名其妙的印象，不知道這種人活著是為了什麼，也許「人不堪其憂」，真的，他卻不改其樂哩！

窮人可粗分為兩大類，一類是窮得有志氣，窮得有傲骨。還有一類卻恰恰相反，窮得像隻哈巴狗，見誰都搖尾乞憐，給他吃點甜頭，什麼醜樣都可以表露無遺。大家都聽過齊國黔敖佈施的故事，在故事中的那個乞丐，就因為太有骨氣，結果活活餓死，我們姑且不論誰對或誰錯，至少那個乞丐表現了相當高貴人格和執著態度，比起前面那些厚顏討食的流浪漢要高明多了。

乞丐已經是夠窮的人，他有時還堅持自己做人的理念，可是，有一些窮人，實際上並不太窮，但在生活煎熬下，卻完全失去了自信、自尊，和自強的獨立精神。在很多犯罪動機裡，有一項就是經濟的動機，其中最最重要的因素就是貧窮，所以，貧窮可以使人墮落、衝動、迷失方向，甚至鋌而走險，不過，只要心中還有一點愛和憐憫，有時還會出現意想不到的結局，像早年路易士安那州曾發生一樁很有人情味的搶劫案，一名中年男子闖進餐廳，高聲大喊不許動，然後拔槍劫取了店款一百三十元，並轉身喝令客人「把錢通通拿出來！」而其中一名客人哀求道：「請不要搶我，我需要錢用，因為我的妻子快要生產了！」沒想到這個強盜卻說：「對不起，讓你受驚，我了解你這個難題，我跟你情況一樣」，接著他致贈對方二十元，再收取其他客人的錢才揚長而去。這個故事告訴我們，窮人容易犯罪，但仍然富有人性，只要能激發他的良知，說不定他還會奮發圖強，成為一個鬥志旺盛的出色人物。

五燈會元中指明：「人貧志短、馬瘦毛長」，因此，馬怕瘦、人怕貧，英雄也怕病來磨。人一旦窮途末路，就會做出驚天動地的傻事，難怪杜甫在「江村」詩句中感慨萬千自白：「多病所須唯藥物，微軀此外更何求？」人到窮的時候，恐怕就不敢有太多的奢求了，連杜甫都不過如此，凡人更能說些什麼？

雖然，我很能諒解窮人的心態，不過，窮人如果能在萬般絕望中站起來，他的成就一定很大，這種情況很難，但歷史上畢竟有很多偉大人物從這種小徑中摸索出來，根據社會學家艾倫（V. L. Aeeen）的研究，發現貧民有幾項人格特徵：一、自我觀念偏低，缺乏自我價值和堅定自尊心。二、成就動機淡薄，沒有積極爭取的意願。三、物慾心理不高，容易產生滿足感。四、對未來期待反應遲鈍，能夠忍受較多病害痛苦。五、精神疾病現象較為嚴重，不懂得如何自我克制。但依據我多年從事社會工作經驗，覺得國內貧民心態可修正為以下五點：第一、低姿態的人生觀。第二、強烈的依賴意識。第三、宿命主義。第四、忽略自我價值。第五、缺乏時間展望。總之，窮人由於先天際遇和後天環境的壓力，使他囚困在狹窄陰澀的生活空間裡，他有許多抱怨，在抱怨中逼進自傷的氣氛中。古代有一個貧女寫了一首詩，描述年年替人縫嫁妝，最後都穿在別人身上的心境，的確教人心酸，故白居易曾為貧女發出不平的悲吟：「富家女易嫁，嫁早輕其夫；貧家女難嫁，嫁晚孝於姑」，雖然白居易覺得貧女命運多舛，但卻為貧女美德作了傳神的詮釋，所以，我們不必怕貧，貧有時未嘗不是建功立業的基石。

在一般人觀念裡，窮人都很自卑，他老覺得自己不如別人，站在別人身邊，自己先矮了半截，難怪貧窮的黑人在伺候富有的白人時，就是那樣必恭必敬，日子一久，自然形成一種禮俗，白人就應該駕御黑人之上，而那些仰人鼻息的窮黑人，就好像認命一樣，任人宰割，因此，人一到了沒有志氣，人大概就沒有希望了。宗教家威廉•克拉克（William Smith Clark）就曾經鼓勵年輕朋友：「年輕人！抱定大志吧！」（Boys be ambitious），我真的很相信，將相本無種，不但富有的年輕人，要抱定大志，就是那些貧窮的年輕人，更要抱定大志。一個人沒有成功時候，人家笑他痴人做夢，一個人成功時候，別人讚美他有志竟成，其實，人的成功與否，完全靠他內在驅策力（Inner drive），一個人內在驅策力愈強，他的成功率一定愈高。當你是一個窮小伙時候，絕對不能氣餒，那樣貧的路透都能成功，那樣窮的松下幸之助也會成名，他們會，你為什麼獨獨不會，別人可以輕視你，你千萬不能輕視自己，窮，沒有關係，要窮得有志氣，要窮得倒不下去。

死而有疚

人最好能活得幸福，死得安寧，如果臨死時還有許多歉疚，那不但死不瞑目，恐怕還死難安窀了。六年前飲彈自戕的江澤民，因情海觸礁憤而狂殺兩名女性，生前留下一紙遺書，最後一段寫得相當淒楚：

「爸媽，我真的很沒出息，您們不要為我難過，這一切都會過去，後事也不必太麻煩，將我火化之後，骨灰送進骨塔裡，我只能說，我對不起您們，爸媽原諒我吧！」

這封信用字很淺，用情很深，頗為感人，不管慘死的女主角繆秀玲是否有負於他，他這樣做都是很難令人諒解的，不僅愧對父母，也愧對繆女和無辜遇難的林麗娟，固然失戀痛苦是外人難以體會得到的，但這樣近乎瘋狂的亂開殺戒，又能為自己留下些什麼？

在這個世上，死去有內疚的人本來就很多，他們絕大部分是生前做了一些虧心事，別人不能原諒他，他也不能原諒自己，在他心底深處囤積著許多理不清的愧恨、酸楚、失落和歉憾，他很想清償，總無法了卻這個心願，一直到他死去都放不下這個心頭重擔，他活的時候已經夠苦，他死的時候更感悽惶，可惜，他縱使有再多的內疚，也無補於事實的發生。他走了，走得步伐沉重，萬般無奈，誰又能了解他如何消取內心的孽債？

死亡本來是一切的結束，倘若在死亡前還有那樣多痛苦的掙扎，那一定有很難突破的障礙，可是，我們必須好好地想一想，為什麼會有這種狀況發生？為什麼不能早點償還這種心債？為什麼，為什麼有那樣多回答不了的「為什麼？」

人的一生難免顛沛造次不已，但我們要活得抬頭挺胸，無怨無愧，要活得心安理得，無虧無欠，不要把自己加上罪孽的枷鎖，要在生命的路上，走過風風光光的日子。今年春節，有五位男女學生一塊到我家拜年，我們談天論命，他們都說很羨慕我，因為看起來我現在好像滿幸福，其實，他們錯了，我很誠懇地告訴他們，我過去很坎坷，現在很落實，一身扛著太多的悲愁，唯一可以告慰的，就是沒做過半點有罪的事。所以，活得很自在，半夜有人敲門，也不至驚慌失措。我鼓勵他們要立誓做一個有責任感的人，對國家、對父母、對親友、對任何人，只要記住自己有一定的責任，才不至做出離經叛道的醜事，那怕再苦、再累、再無助，都得孜孜靜修、忘懷名利、清清白白地過一生。西方學者提出挫折攻擊說（Frustration aggression hypothesis），認定當遭受挫折時就會引發攻擊的反應，因此，個體挫折愈大，攻擊力一定愈強，殺傷力相對擴增，這樣的惡性循環下去，自然演變成冤冤相報不已的悲劇，可是，這時候我們必須發揮自律的效能，讓自己先清醒過來，凝思省悉，了性養怡，然後再以餘力去幫助別人脫離險境。人生如山雲過眼，宿鳥移枝，我們何必自尋煩惱和遺憾？應該用寬恕的心去包容自己，也包容別人。

一個人接觸面愈廣，他能夠結下的恩恩怨怨事情也愈多。我有一個朋友，因為經常出國去做生意，沒想到在法國認識一個推銷化妝品的女郎，他們竟然在巴黎同居起來，最後他才知道這個女郎的丈夫是一個游手好閒的浪蕩子，他被毒打了一頓，還被扣押了一批貨品，最後只好重回台灣，卻意外發現自己妻子也跟別人鬼混在一塊，原先他很動怒，經過別人的勸說，他好像悟到什麼，不但不恨妻子，還留下一筆可觀的「安家費」，又獨自悄悄出國去了。我固然不是他的好朋友，但我對他的表現非常激賞，雖然他做錯了事情，可是他懂得把心債淡化，他不怨妻子，忍著悲憫，悄然離去，看起來就灑脫，誰能看穿他那椎心泣血的隱痛。

死亡本來就是毀滅的符號，絕望的休止符。當人瀕臨死亡的剎那，難免依依不捨，難免牽腸掛肚，只是，他不能因罪孽深重而自怨自艾，因為這時的自責只是形式的懺悔，缺乏實質的效果，即使他立刻舉槍自盡，也徒然加速死亡的時間而已，對於一生的罪行是毫無補償作用的，所以，宗教多勸人生前行善，用晶瑩剔透的心靈去盛裝美好的功德，生時無憂，死時無愧，這是多美的畫面。可是，人就是懂得很多，做得很少，甚至把壞事做絕，死前還祈求上蒼垂憐，但神可饒恕他的罪，而世人對他憎恨依舊，他能逃過法眼，也逃不過人眼，所以，人既然悔不當初，為什麼留一個錯誤的當初，「當初」都是一個起點，每一個人都必須如履薄冰地從起點走起，走得正、走得踏實、走得四平八穩。

我爲什麼要保密

許多新認識朋友，似乎對我多充滿好奇與懷疑，喜歡問我年齡有多大，而我又偏偏最怕年齡穿幫，恨不得年年都是「四十歲」。

由於我經常為自己年齡保密，因此我很同情女孩子隱瞞自己的歲數，我想，這些善於掩護的人，最主要的是怕自己已成「滯銷貨品」。我曾經有一次經驗，在一個公共場合裡遇見一位摩登姑娘，我竟直率問她幾歲，她遲疑一下反問我：

「你猜？」我說大概是二十五歲，她馬上更正：「我不止二十五歲，我已經二十七歲了！」俟她離開後，另外一個女孩子悄悄告訴我：「別聽她胡扯，她早已三十出頭了！」

其實當我問這個女孩子時候，我心裡在想：「她年齡不輕了，為什麼還不出嫁？」就像別人懷疑我：「這個老頭年紀一大把，何以孩子還像一隻小雞？」從我個人際遇想到這個女孩子際遇，我發現每一個人的內心都可能隱藏著一些不願告人的秘密。

一個人為自己年齡保密，心裡多少有點缺乏安全感和低卑感，他生怕別人輕蔑或嘲弄他，因此，不願吐實，又不能不吐實，在這種尷尬情況下，只好任由別人猜測，對與不對都可不負責任何證實責任。年齡需要保密，當然，其他事情更需要保密了。

保密，或許有人認為不夠誠懇，其實，每個人都有自己不得已的苦衷，只要這種保密不傷害到任何人，應該是可以諒解的。有時真話實說，往往弄得大家下不了場，更何況有人不太保密，而反招惹意想不到的困擾。我曾經調解過一樁夫婦糾紛，原因是妻子很坦白告訴丈夫，婚前有過二次性行為，丈夫認為是可忍孰不可忍，從此夫婦陷入冷戰的僵局，這時很自然使人想起莎士比亞的警語：「我想，她的確做了太多的聲明」（**I think she does protest too much**）。所以，保密與否也應該酌量情形而後定。

在這樣紛擾萬分的社會裡，每一個人都不免有著難解難釋的情懷，有些罪惡感與羞愧感，說出來有時未必就是最好辦法，固然在潛意識底層是容不下這樣多壓抑，此刻你不妨找一些較佳機會把它宣泄出來，譬如在教堂裡或者在專業輔導人員面前。

有一次，我在國外小鎮的一家旅館，很湊巧地遇上一對很熟悉的已婚男女在這家鄉村小舍「偷腥」，而他們配偶也都是我相識的朋友，當時大家都相當窘困，男女雙雙都請求我替他們保密，我沒有立刻接受，因為我不齒他們行為，第二天一早他們又來懇求我，我終於答應了，並且把他們訓斥了一頓，希望他們能斬斷情絲。回頭是岸。我之所以答應他們，主要是經過一夜沉思，覺得把事情宣揚出去，受傷的何止他們二個人，極可能釀成：「激動擴散」（Excitatory Irradiation）的連鎖感染效應。我想，我這樣給他們最嚴厲的警告，也足夠發生嚇阻作用了，後來證實我的做法是正確的，他們兩家人都過得平靜而幸福，正如日本心理學家宮城音彌所說：「善的行為在於增進他人的幸福。」

每一個人的內心世界都很廣濶，很難讓別人認識得很透徹，也因為如此，他才給人摸不透的神秘感，倘若他率心而行，無所忌憚，也許他就毫無可取之處了。許多偉人也都有軟弱的一面，並不像傳說中那樣高不可攀，有人譏評甘地是好色之徒，有人嘲諷蘇卡諾是卑劣之輩，可是，他們仍然有其可敬的一面，他們保留了很多秘密，外人無法知之堂奧，因此，史家只能作模稜兩可的批評，其實，每一個人都有一點屬於自己的秘密，這些秘密會在你成功或失敗時發生最大作用。

替自己保密，或者替別人保密，都不是一件容易事情。保密的動機不外兩種，一種是以善為出發點，另一種則以惡為出發點。前者是曲意保護以避免自己或他人受到傷害。後者是存心詐騙以縱容自己或他人的罪行。當然，我們必須以前者為立論的根據，我以為，我們可以保密，但必須以善為本，以化解不幸為原則，「勿混淄澠，勿眩朱紫」，以免為社會增添許多困擾。

這個社會已經夠複雜，人類心態也相當不夠平穩，對自己或別人秘密，似乎沒有必要多加渲染，保密也屬於一項道德的條件，足以保存絕假存真的童心，因為人有私心原是真情的表露，不足為奇，我深信法律隱私權就是保護個人秘密的具體表現，在此，我要強調：「善意的保密是社會淨化的動力。」

偶像的幻滅

樂聖貝多芬原先對英勇善戰的拿破崙有著熱烈的崇拜，曾經寫了一首「英雄交響」樂章，打算呈獻給拿破崙，後來拿氏不若他想像中那樣偉大，使他多了一份無奈的失落感。精神分析大師阿德勒（Alfred Adler）熟讀了弗洛依特名著〈夢的解析〉後，遂對弗氏大力的讚揚，後來雙方觀點歧異，勢同水火，他才毅然另創了個體心理學（Individual psychology）。貝多芬和阿德勒是兩個典型的例子，證實「人因崇拜而結合，卻因歧異而分離」。

崇拜一個人，而把對方當做偶像，並不是一件壞事，就像一個觀眾欣賞一幅藝術品而產生的一種感情投入，這種動機是善意的，多少含有些許原始性的盲目衝動，但無損於個人人格的尊嚴與高貴感。只是這種不成熟和不穩固的心理狀態，經過相當時日後就可能逐漸消褪，而出現背道而馳的抗拒現象。

當偶像幻滅時候，崇拜者會產生矛盾和掙扎的痛苦情緒，他不願相信這是事實，但事實使他不得不相信，在他隱藏心靈深處的絕美影像立刻被砸得粉身碎骨，而內在化的權威

（Interaliyed authority）不免受到嚴重的襲擊，使良知的覺醒與道德的判斷產生無與倫比的衝突，徒令整個人浮現虛脫失寧的疑慮，信念動搖，而茫然無以自持。

偶像可以使一個人生命永生，也可以使一個人感情枯萎，杜斯妥也夫斯基（Fedor Mikhailovich Dostoevsky）這位俄國傳奇性的天才文豪，被少女阿波琳納麗亞（Appolinaria Prokofievna Suslova）視為心目中的偶像，致引發雙方一場激烈的愛情，最後又因杜斯妥也夫斯基不能滿足她生理上或其他方面的需求，他們情火熄滅了，她遠走四方，在巴黎演出了一齣不貞的遊戲，結束了愛情、也沈澱了山盟海誓。因此，我們不難想像，偶像建立時候，是那樣高不可攀，偶像破滅時候，卻又是那樣了無痕跡。偶像，偶像似乎多建築在沙灘上，經不起一場狂風暴雨，留下的僅是「不過如此」的感喟。

人在一生中，可能遇上許許多多形形色色的人，也許是他的長輩，也許是他的上司，也許是他的師長，也可能，是他的仰慕者、欣賞的人，乃至瘋狂崇拜的對象，由於這些人具有出色的才情或優異的稟賦，使他願意推崇他、讚頌他、追隨他，甚至臨摹他的一舉一動，而整個思路和言行都被對方所征服。這種偶像型的人物，類似神化式的力量緊緊地主宰了他的意識空間。偶像猶如古代的圖騰，我們知道：「圖騰崇拜是在澳洲和非洲原始民族一種取代宗教位置的信仰體系」，所以，崇拜偶像好像在崇拜一具神像或木偶，因此，觀念模糊，架構鬆弛，經不起長期的考驗。

年輕人比較容易崇拜偶像，因為年輕人具有若干與眾不同的特質：

（一）思想不夠成熟
（二）感情容易衝動
（三）英雄色彩濃厚
（四）追求理想主義
（五）主觀意識堅定
（六）臣順性格顯著

年輕人這些特質在青年期表現得最為突出，他們只要自己看對眼的人，覺得對方確有一些吸引人條件，他可能馬上接受，而且表現出很積極的欽慕態度。

當我讀中學時候，很崇拜一位數學老師，他每堂上課時，從不帶課本，從開始到結束都是他不停地在黑板上講解內容，下課鐘一響，就將粉筆往黑板一抛，很性格地走出教室，我當時告訴自己，長大要做一個老師，跟他一樣瀟灑脫，可是，等我為人師表時，才曉得他已因案被捕，而且相當不名譽，從此他的影像在我心靈中完全粉碎，我終於明白，當年我因判斷能力薄弱，以致發生這種認知扭曲的錯覺。

崇拜偶像並非罪惡，也沒有什麼不對，但如果處理不當，可能使信心全失，勇氣盡消，心理出現浮遊不定的情緒，一個人可以模仿別人的優點，認同別人的長處，但最好能走出自己的風格。

傳聞，一家地下投資公司的總裁，為人四海，挺講義氣，他的年輕司機非常崇拜他，到處為他宣揚，不料他事業出現了危機，而且做人也不如想像中那樣正直，這位年輕司機知道後，傷心極了，也失望極了！整整哭了一天一夜，公開宣稱要摔掉偶像的包袱，開創自己的新天地。

很多人心中都有一個偶像，但不代表這個偶像沒有缺點，只是經過美化後變得更加完美，容易製造假象，很值得提高警覺，以應不良的適應性。

不知與不爲

我有一位長輩告訴我，一個男人對於玩樂事情應該什麼都會，但千萬不要著迷。他的理論影響我很深，因此，我什麼都學了一點皮毛，就是不讓它上癮。

我會打牌，但不輕易「上場」；我會跳舞，但極少「下海」；我會抽煙，但淺嚐即止；我會喝酒，但從不狂飲；我自信件件可以派上用場，就是自律甚嚴，絕不胡來，不是我段數高，而是老前輩的耳提面命，給我很深的警惕效用，我覺得身為一個男人，的確要學習很多應對的禮誼，不過，一定要恰到好處。

現代社會接觸面日益寬濶，你不可能避世獨居，與人「老死不相往來」，最起碼的，你會偶爾參加至親好友的酬酢，當別人希望你跟他盡興時候，你無法一概回絕，這樣既失禮，也顯得不近人情。縱使人家當面讚譽你是一個「不沾人間煙火」的「聖人」，可是他背後也可能譏諷你是一個食古不化的「呆頭鵝」。

我一直認為，一個性無能的人因終生不去嫖妓，就推崇他是一個道德高尚的人，那簡直是一種諷刺。相反地，一個身體健壯、精力旺盛的人，卻懂得對肉慾的節制，才配稱正人君子。記得多年前，我住在一棟公寓裡，一樓有六戶，其中五戶屋主都把屋後的巷子空地用磚頭圍起來，視同自己私人財產，其中只有一位張姓屋主硬是不願同流。有一天我當眾誇獎他，他很激動表示：「這些人真是不守法，怎麼可以把公地佔為私有？我不是不懂，也不是不會做，而是我不願做」，他這番話說得我由衷敬佩他，可是，有一個晚上他外出晚歸，莫名其妙地被人打傷了，我才發現，一個不為的人，還真需要一點與眾不同的膽識和器度。

在如此進步的社會裡，我們的知識領域已不斷擴大，我們的生活領域也跟著變化，我們可以享受很多，也可以學習很多，只要你想要，你幾乎都可以透過合法或非法的手段得到它。一個笨人，或許只懂得做一樁固定的壞事，但一個聰明人，卻能把犯罪技巧發揮得淋漓盡致，顯然的，一個有機會犯罪而卻能自我克制的人，又顯得多麼的難能可貴，所以，一個人做任何事，都先要保持一種中性態度（**Neutra attitude**），不受干擾，不受脅迫，不受引誘，不受感染，不受外在或內在任何因素的影響，不要做出故意的反應，知道自己該在什麼情況下做什麼事，這樣始能「仰天俯地無所自愧，然後從而求其所可為」了！

現代社會有錢人很多，漏稅人也很多，他們拚命賺錢，卻捨不得納稅。我認識一個名叫陳益信的小伙子，他開了一家進出口貿易行，生意做得並不大，但數字也不算太少，他的女秘書勸他每年少捐一點稅，拿給員工做福利，他很不以為然，因為他認為自己是一個老老實實的小商人，也要做個老老實實的小國民，他不是不懂得逃稅，而是他不願接受良心的譴責，我蠻欣賞他這份與眾不同的氣概，只可惜有人還罵他「傻蛋」，連帶說我跟他一樣「二百五」，你說，我還能說些什麼！？

孟子認為「不能」與「不為」有很大差別，而我則認為「不知」和「不為」有更大的差別。凡事，不論是好事或壞事，你根本對它一無所知，你也沒有插手去做，人家比較會原諒你，相反地，一件你瞭解甚深而且不該去做的事情而你卻大膽地做了，那麼，就很難得到人家的諒解。很久前，我在馬來西亞看到一份華文報紙，該報刊登很多訃文和賀文，其中有一則祝賀新開張飯店賀文竟然是一句成語——「長袖善舞」，我想，當事人可能對這句成語只是一知半解，所以把它「張冠李戴」了，就像過去一位中學學生形容他母親已「徐娘半老」，還在公車上「遇人不淑」一樣的不經心的錯誤，因此，別人還只能一笑置之，否則，他就犯了大不敬之罪了。

羅特與普毅（Kraut & Poe）在一項海關走私實驗中發現，一個攜帶違禁品的走私者，多少都會表現出幾許非語言洩漏（Nonverbal leakage）的傾向，因為他心裡很明白，他正在做一件犯罪的事情。我們想想，一個人明知犯罪而又去做犯罪的事情，他心裡怎麼獲得寧靜與平安？過去，許多走私毒販，他知道僥倖闖關一次，就可以終生享用不完，所以，他不僅嘗試了，而且樂此不疲，也有人明知可以藉此發財，就是不願以身試法，其人格高低就不難判定了。我個人的見解，是一直朝著一個新的方向在佈局，我反對沒有變化的生活，更反對刻板的觀念，我主張我們要學習很多事情，同時要經歷很多事情，最好要試著去認識、去洞察、去瞭解、去探索其中的道理、真相，乃至奧秘，但當我們發覺不該沈溺其間時候，必須早有心理準備，而且能善於自處，或許你會說這太難了，其實，你錯了，俗庸得像我這樣的人都能做到，你、你又何難之有？

堅韌的內心

美國加州境內的優森美地國家公園（Yosemite national park），有一種杉樹很不容易長大，但一經長大，就蒼勁參天，長壽萬年，據說這種杉樹具有耐火特性，因此，森林發生任何火災，其他樹都可能遭殃，惟有它依然欣欣向榮，所以該樹目前已成為罕有的珍貴植物。在這浩瀚的宇宙間，不論是動物或是植物，只要它們有生的意志和生的特質，再加上生的本能，它們都能活得很自在。

沒有任何力量，可以擊倒一個人，除開他心虛、氣餒、畏怯，而自求滅亡。我們研究很多小動物，發現牠們軀體那麼小，可是，牠也懂得適者生存的道理。試看生物學裡的記載，有一種沒有視覺和聽力的壁蝨，經常停伏在灌木的枝頭上，當下面有狗或狐之類的哺乳動物路過時，牠會毫無差錯地落下去，落在這些動物身上，而隨著牠們行走而運動，這完全是由於哺乳動物的皮脂腺所散發出的酪酸蒸氣，對壁蝨產生一種信號作用，但人類把這種現象視同奇異的目的行動，事實上，壁蝨是靠這種行動，才活得渾然忘我，而自得其樂。

從動植物的特性中，我們可以肯定一種真相，凡能發揮壁韌內心的動植物都能生存下去，而且內力愈深厚，活得愈愜意，當然，人類亦不可能例外，像出生美國紐約的狄瓦雷拉（**Eaman De Valera**）經過多少次死亡邊緣被拉回來的強人，終於成為愛爾蘭總理，並且被推崇為「愛爾蘭的林肯」，我想，狄瓦雷拉就是憑藉著他堅韌的內力，才創造出生命的奇蹟。

我記得，有一次在一班學生堅邀下，破例陪他們去爬山，爬到中途，我已氣喘如牛，學生一個個很好心地問我，要不要他們扶我上去，我為了表現自己是大丈夫氣概，當場嚴加拒絕，不過最後總算很艱難地登上最高峯，我當時立即有個感應，我覺得一個人的成功實在有賴於堅韌的內力，但堅韌的內力多基於四大因素，一為好勝的衝動，二為精神的鼓舞，三為自我的期許，四為目標的完成。以寫這個專欄來說，當我寫了一半，我就因工作太忙而想停寫，但本刊總編輯給我很多鼓勵，她說一般反應不錯，應該再寫下去，因此，使我信心十足，才使思潮再度泉湧，所以，鼓舞力量尤為重要，它可以觸動個體的堅韌內力，朝向目標的方向挺進。

其實，每一個人都懂得堅韌內力的價值，可惜很少人把它真正發揮出來。我們必須知道，我們內心不能潛存著「信念破碎」（**Shattering of faith**）的意識，要多方設法提升自己的內燃力量，讓自己看到美好的憧憬，希望的再生，理想的實踐，以及生命中燦爛的光景。

在陸羽茶經三卷、茶記三卷中，細述品茶的韻味，我並非茶迷，但亦經常陪老友喝上幾杯，發現真懂其中三昧的人，都是內斂渾厚的人，一日枯坐幾個鐘頭，正是在培養他的禪功，一旦發揮出來的堅韌內力，就銳不可當，難怪善品茗者多為功力很強的高手。我認為，人可以為聖賢，也可以為盜賊，完全看他下的工夫，工夫下得恰到好處，堅韌的內力自然就會冒出，終至帶動他邁向成功的階梯。樂記早就指出：「土敝則草木不長，水煩則魚鱉不大」，一個人的生存空間影響他一生至鉅，所以，做長輩的人，必須給下一代一個優良的環境，激發他的潛力，培孕他的慧根，潛修他的靈氣，舒展他的才情，把他一步步地引領到一個豁然開朗的境地去。

固然，堅韌的內力也須要外力的資助，但，更重要的還是要靠本身的運作。一個人要想活得朝氣蓬勃，一定要消除主動性的不安（Active anxiety），儘可能保持平和的感情。依據心理學家康儂（W. Cannon）實驗報告，動物在痛苦、飢餓、恐懼和憤怒時，其血液會發生變化，而出現紊亂不寧的反應。所以，人要學習如何去掌握自己，運用智慧和毅力去奠定生命的基石。沒有一個成功的人，不是在最惡劣的環境裡，靠堅韌的內力，克服重重障礙，去追尋那一道透不進來的薄薄曙光。

每一個人都擁有一股看不見的內力，當你奮發不已時候，它就會凝結成堅韌的衝力，幫助你完成艱鉅的任務，你要隨時把它燃燒起來，以開創不朽的永恆！

心結難解

在八十年代，我寫了一本有關女性的小書名為「心結」，希望能藉此為普天下女性解開心中的情結，最後發現人類心態真是變幻莫測，看起來很單純的問題，可是越解越糊塗，因為人的行為變數太多，一個人加另外一個人不是等於二，而是變成天文數字，所以，弗洛姆（Fromm）渴望在「永恆的神秘」中找到真我，米德（Miagaret Mead）也引述一個十五歲小孩子說的話：「讓我們停下來想想：『一定有一更好的解決之道，而我們必須找出』。」然而，我們應該如何去找，能夠找得到嗎？假如所有的人都緊閉自己心靈之窗，找，談何容易？

女性的心結難解，政治人物的心結不是更難嗎？過去，大家總把代溝（Generation gap）視為上一代和下一代之間的距離，現在，我發覺，這一代跟這一代的人之間又何嘗沒有代溝呢？我想，代溝已經可以加以擴大的應用，所以人的悲哀也益顯其蒼白與虛無。

中華民國的第八任總統和副總統還沒有順利產生，國民黨內部已發生很大裂痕，而且兩派人馬把問題放在枱面上攤牌，使所有熱愛國家的人民感到心焦和徬徨。當時總統府資政蔣彥士，銜命邀集黨國幾位重量級人物，一再舉行歷史性的溝通，所幸目前已經建立共識，達成整合目標，誠如蔣彥士曾經語重心長表示，這個國家需要團結，需要安定，否則，過去四十年努力均將付諸東流。今後吾人切盼這些元老重臣，能夠化干戈為玉帛，化阻力為助力，應該爭千秋，不要爭一時；應該爭理想，不要爭權位，要秉持政治風範和政治器度，拿出「居廟堂之上，而憂之民」的襟懷，捐棄私念，相忍為國，鬻子曰：「上下相親為之和」，我們大家正應該追求這個「和」字，可是，誰能做得到，想來是很難了。人最怕心中有隔閡，有暗潮，有不可抗拒的排斥感，這種心結，不但難解，而且越解越複雜，真正像廉頗藺相如那種政治人物實在不多，大家都堅持自己「理念」，在那兒交纏糾爭不已，苦了老百姓，也苦了和事佬，解結的人，往往自己也踏進結裡面，看到迷惘的結，看到不透明的結，當雙方把結拉緊時候，他卻死結纏身，踏上不歸路。

政治人物多有政治抱負或政治野心，他們的成功在於固執的個性，他的失敗也在於頑強的個性，他們一向守住自己的論點，性格早已定型，一旦雙方都堅持不變，就可能產生強烈的紛擾和爭議，也許他們都有充分的理由，以致很難達成整合的共識，古代縱橫家能夠巧妙地運用縱橫術也確屬難能可貴了。

中外歷史上有許多政治人物，都因為觀念分歧而至水火不容，像麥克阿瑟和杜魯門都堅持己見，才會引發政治風暴。像令狐綯與王茂之也各有政治立場，才會誓不兩立。許多政治家都犯了個通病，那就是「對昨天感到愉快，對明天充滿信心」，可惜他忘掉「今天正面臨政敵的嚴重挑戰」，他太勇敢，勇敢得失去戰場，也忽略了真相。

在我長期心理輔導經驗中，我曾試著去幫助別人解析心結，我感到，心結可真難解，有人很力持自己看法，卻希望你給他一些指引，他明明知道不可能接納你的意見，仍執著地渴求你支持他的信念，因此，解結的工作，千難萬確，「結」易結而結難解，「結」易放而結易收，「結」易放而結難癒，其實不是當事人不合作，只是排他心理太堅篤。我曾在一家電台擔任心理講座節目，有一天有一位讀者寫信給我，他敘述認識一位麗質天生的女孩子，在交往九個多月後，就完完整整地佔有了她，而且她是百分之百處女身，後來他去當兵，這位女友又跟他同校而不同班的學弟有了性關係，學弟認為女孩子不是處女就甩了她，她仍然惦念舊情人，又回到他身邊，兩人正談到婚嫁問題，他的內心很矛盾，不知道娶這種女孩子會不會幸福，要我替他出個主意？老實說，我也感到很棘手，我相信這個男孩子仍然愛她，只是不能諒解她的不忠實感情，假若他們結婚了，我也無法保證他們一定幸福，因為在這個男孩子心中，已經有了一個很大很大的「結」，這個結怎麼解，不是我的力量所能及，而是在於他們自己。

再舉例說，義大利的北方人很勤快，故工業鼎盛，而偏偏東方人酷肖拉丁人，喜歡逍遙自在，再加上義大利社會福利辦得很好，東方人乾脆坐享其成，長久以來，儼若北方人在養東方人，所以引起北方人不滿，甚至主張分成東北界，這種心結始終影響著東北方人的感情，久久難以釋懷，可見，心結沒有形成之前，最好先有防堵對策，現代人的心結錯綜複雜，大家最好自己先有誠心去解，然後再配合別人力量，始能使結愈解愈鬆，愈解愈有效。

脆弱的榮耀

在我們社會裡，每一個人都醉心於爭取榮耀，開始時他用合法手段爭取榮耀，當他遭受挫折時，就改變他爭取的路線，為了榮耀，他付出了卑鄙和醜陋，出賣了高貴的人格，和完美的情操，一切都為了榮耀，榮耀，榮耀，他心中充滿了榮耀的憧憬。

有一位風度翩翩的黃公子，連續攻陷了好幾位女明星的感情堡壘，還騙走了一位鄧姓紅星的大把賺來不易的鈔票，這位黃公子一生都在爭取榮耀，但最後卻為榮耀出賣了自己。試看這位黃公子高中畢業後就想盡辦法到異邦去求發展，說穿了就是為了榮耀，衣錦還鄉後又想盡辦法接近名女人，又是為了榮耀，結果投資公司開垮了，覺得很沒有面子，乾脆抱著剩餘鈔票溜之大吉，其實也是為了輸不起的榮耀，可見榮耀是何等的脆弱，近代哲學大師馬丁•布伯（Martin Buber）說過：「人必須擁有無比的勇氣，為真正的實際成就奮鬥，反對空虛的成就」。事實上，很多人本來是在追求實際成就，可是到了後來卻變成空虛的成就，因此，「人變得退縮、隱藏而又保守，只會在一旁觀看、衡量及批評」，這種現象多麼可怕，可惜，我們社會裡正普遍瀰漫著這種氣氛。

現在正是選舉的熱季，各候選人莫不展開凌厲的攻勢，為了拚贏這場硬仗，誰還能分辨清楚真正榮耀的意義，在榮耀的外殼裡裝滿了污穢的雜質，像化裝舞會中那些假面具裡頭的猙獰奸笑，使整個尊嚴的政治舞台，飄浮著倫敦濃霧式的迷惘，彼此看不清對方的心思，熱情中還散發著嘲弄的輕佻，誰講理性、誰受真理、誰在祈求寧靜，好像每一個人都很真誠，為了消除對手（**Elimination of rivals**），他可以對天發重誓，對神砍雞頭、對選民說大話、對自己良知編謊話，這一切何嘗不是在求榮耀，他要光宗耀祖，他要光天耀地、他要光大榮耀，因為他要別人看到，站在這裏的，是一個多體面的人，殊不知他才是沽名釣譽偽君子。

由於人類「你虞我詐」的思潮在不斷擴散，以致整個社會出現空前的信念危機，誰都看不清自己的缺點，誰也不願讓別人看清自己的缺點，當利害相衝突的時候，誰都可以掀對方的底牌，人與人的感情薄得像一張紙，只要你侵犯到我的榮耀，我將為「光榮而戰」，誓為「光榮而死」。每一個人都太愛面子，有人勸解別人別把面子看得太重，可是，他卻是道道地地的面子主義者。

人類追求榮譽，難道是一種罪惡嗎？

如果從正面的觀點來看，我的理論顯然犯了以偏概全的誤差，可是，從實質來說，因為有太多人只是為了維護「榮耀」，可以不擇手段出賣靈魂，榮耀成了他的護身符。他對榮耀的定義，早晚行情不同，他可以從正面誇榮耀，也可以由反面貶榮耀，榮耀在他心目中很有彈性，不論心中畏懼，或者決定反叛，他一定盲目地在榮耀道路上奔闖。

歷史是一條很長的路，我們要在這條路上度過一生一世，先人在這兒曾經留下那樣多美好的腳印，我們何忍把它踐踏，我們必須用真實的榮耀來修護這已有裂痕的幹道，我們不能再欺騙自己，這樣我們將延禍子孫，使榮耀變成更可怕的藉口。

有些獻身宗教的神職人員，口口聲聲要榮耀我主上帝，結果自己卻躲在紅塵中偷腥摸魚。有些獻身慈善事業的「愛心」人士，時時刻刻想榮耀人性的光輝，最後自己卻匡藏勸募財物躲在斗室裡大做發財夢。當這些醜聞曝光後，每個人都憤怒的跳起來，眼中布滿血絲，心裡充塞羞恨，覺得自己上當受騙，滿懷不甘的怨尤，繼而一想，為了保持身分上的榮耀，不便與人多所計較，只好暗中吞恨，做一個寬宏大量的灑脫人。

本來，生命是脆弱的，感情是脆弱的，現在，我發現榮耀更為脆弱。

太脆弱的榮耀，使人變得敏感猜疑，使社會變得冰冷邪惡，大家不但要保護自己，還得防患別人，這種現象有礙人類的團結與進步，破壞德性，毀損倫常，製造心理圍牆、切斷血脈相承的恩義，因此，我們必須消除這層魔障，認清真理的光明面，不要做假象榮耀的奴隸，以為穿起袈裟，就可以偽裝為出家人。

榮譽是人類第二生命，但不能為了榮耀而出賣榮譽，到頭來不但不能榮耀自己，反而顯露自己更大的卑劣行為。所以，當我們追求榮耀的時候，先要磨平自己的心性，腳踏實地的奮發圖強，不做不義之人，讓榮耀歸於真純的勝利！

從寂寞出發

我年輕時喜歡熱鬧，年老後喜歡寧靜，可是，我最怕寂寞，說起來很矛盾，其實，人的一生就是在矛盾中成長過來。

每逢假期，我常把自己隱匿在一個別人找不到的地方，這時候，讓自己萬馬奔騰似的胡思亂想，突然，有時我會感到自己很孤單，也很寂寞，開始時我很不習慣，後來才逐漸能適應這樣生活方式，而且很能享受這種寂寞中的寧靜。在一般人意識裡，文人多是寂寞的，他們登山臨水，望遠興懷，聽歌觀舞，即事生悲，難怪會產生「多慮令志散、寂寞使心憂」的淒涼感，可是，在我體驗裡，並不是這樣的，我覺得每一個人都要耐得住寂寞，同時，要在寂寞中開創蓬勃的生命。

我原是最怕寂寞的人，現在已從寂寞中走了出來，我常常在想，這個社會到處充滿熱鬧，人在過分熱鬧的氣氛中，極容易淹沒掉自己的鎮定與心志，不經心地甩去所有的苦悶與憂煩，暫時麻醉在片刻的狂歡裡，這樣衝動式的感情宣泄，固然覺得很舒坦，可是，又怎能維持長遠的心理平衡？

我有一位朋友，在印尼經商，已被強迫歸化印尼，連姓名都已印尼化，但是，我知道他還是很愛自己的國家，有一次，我去雅加達，他陪我去巴里島，途中，他很感慨地表示，他在印尼生意做得很熱鬧，可是心理卻非常寂寞，他看不到故土的風光，聽不見親人的聲音，不過，他已經習慣這種寂寞，而且必須這樣活下去，可見，人會想盡辦法去適應環境，寂寞會因適應而沖淡。

很多人，就因為同情自己，又難耐寂寞而做出極為無知的傻事，我看一本外國雜誌，內中報導一位主婦因為丈夫外出工作，她很寂寞，就和鄰居男性發生曖昧行為，後來被男方妻子告了一狀，她替自己辯白，是被對方強暴，對方則推諉被引誘上床，法官則判定女方有罪，理由是引敍動物學家里諾・威廉斯（Leonard Williams）論點：

「公猴如果沒有母猴的合作與邀請是無法達到交配的事實。」

我們姑不論這樁案子的判例如何，我們應該注意的是這位女性因「寂寞」而衍生出來的犯罪情結。寂寞原是很單純的心理因素，但可能牽引出無以補償的軒然大波。現代人多很寂寞，所以，現代人犯罪的頻率就普遍提高。

我們別以為這個萬花筒似的五光十色世界裡，到處熱烘烘一片，你處身其間，還有什麼寂寞可言，殊不知環境越熱鬧，你的心裡可能越寂寞，因為大家都在享受綺麗的風光，才顯出「斯人獨憔悴」的身影，假如你本身就喜歡熱鬧，現在強迫你去「寂寞」，你不發瘋才怪。不過，你必須了解，寂寞不是一樁苦事，而是一種心性的陶冶，情操的涵泳，和思想的昇華，實有助於生命張力的拓展。

像唐代的琵琶高手段善本和尚，一生起伏不定，經歷滄桑，當他由絢爛歸於平淡時候，依然毫不在意，精研琴藝，終成一代宗師。像英國賢臣湯麥斯•摩爾（Thomas More）遭禁錮時，依然無畏於寂寞災難的煎熬，孤獨地走完他的路，細心地留下他那本「對苦難的慰安對話」名作。所以，寂寞不用怕，最怕你不懂得寂寞的好處。一個會燃燒自己生命的人，一定有一股能衝能守的性格。能耐寂寞的人，始能竟其全功，歷史上許多風雲人物，那一個不是從寂寞中繪出生動的前程。

老人院裡的老人，孤兒院裡的孤兒，寺廟裡的僧尼，軍營裡的士兵，乃至負笈異鄉的遊子，那有不寂寞道理，但最後都沒有被寂寞擊倒，依然闖出一片生活的新天地。

我說過，我最怕寂寞，而今，我已經能和寂寞安然相處，我甚至發現寂寞是奮鬥過程中的最好一種歷練。但願所有寂寞的朋友，都能共享那份寂寞的美意。

出招封喉

我一向欣賞聰明人的智慧，他們即使在臨死的前一秒鐘，還會故佈疑陣，讓敵手莫測高深，受其擺佈，說他「死」出風頭也好，說他奇招取勝也好，他這一生、永遠是扮演一個「強者」，那怕他身分不同，而他的身價就是高人一等。

魏國大將吳起，投奔到楚國做宰相，一心以富國強兵為己任，於是詳定官制，削除冗員，因此，與眾多貴戚大臣結怨，等到楚王一死，還來不及殯殮，這些人就乘喪作亂，拿著弓箭追殺吳起，吳起急忙奔入宮寢，抱著王屍不放，一時眾箭齊發，連王屍也中了數箭；事後追理射屍之罪，竟誅連了七十餘家，吳起連死了還不放過任何有仇的人，難怪史詩留下證言：「為國忘身死不辭，巧將賊矢集王屍；雖然王法應誅滅，不報公仇卻報私」。這一方面說明了吳起的機智，另一方面也證實了吳起的陰毒。像吳起這樣的人，實在很難蓋棺論定的。

過去，時代雜誌曾報導一則真人真事的妙文，男主角湯麥斯•華拉士（Thomas Wallace），因謀害師父而被判死刑，行刑那天，人潮洶湧，他很「英勇而奮亢」地走向行刑隊伍，當接近絞刑台時，他毫無畏懼地跨上刑台中央，然後返身向四周看熱鬧群眾揮手致意，這種一反常態的出奇舉動立刻引發雷動掌聲和瘋狂的歡呼，而他就這樣地結束了多采多姿的生命，看起來很怪異，但他也獨創了世界行刑的新紀錄。

每一個人的人生理念不同，價值系統也不一致。有人就是想出風頭，不出風頭他就難過，可是他又想不出新的花招，只好用「裸奔」來逗人注意或用「裸攏」來引人遐思，大有「不出風頭死不休」的味道。

出招很狠的人，接招相當辛苦，人類思想本來就夠複雜，當他決心出奇制勝的時候，他一定經過長期的籌謀與醞釀，一旦有所行動的時候，就可能萬夫莫敵了。

心理學家都深信人類有成就動機，可是，每個人對成就所下定義和標準並不一樣，有人認為當了總統才算有成就，有人認為做土匪頭子也是滿有成就的，因此，每個人在基本態度上有了偏差，所表現出來的方式就難免迥然有異了。

在八年前五月，美國有一位醫生，親手替一個二十歲得卵巢癌痛苦不堪的女病人，注射了致命的嗎啡讓她安然離開這個世界，隨後他寫了一篇心得文章「一切都結束了，黛比」（It's over. Debbie）刊登在一本醫學雜誌上，致引起一場軒然大波。他究竟有無違背道德原則我們不去管他，我最注意的是他一邊「謀殺」，一邊「自白」，這是為了什麼？說穿了，這就是所謂絕招，始能激發起強烈的反應。

當前這個社會，希望出風頭的人越來越多，其中以各級民意代表最「善變」、也最「常變」，他們開始時招式蠻有新鮮感，久而久之反而倒足胃口。不過，有一點不能否認，初始時老百姓極度杯葛，現在不但認同他，而且也能接納他，因此，使他興趣轉濃，鬥志激昂，天天埋首研究，總想一招出名，由於各懷鬼胎，不免笑裡藏刀，有朝圖窮匕現，就可能拚個你死我活了。

有些人善動腦筋，想出一些奇招、絕招、妙招、怪招，甚至空前絕後的異招，使他頗有斬獲或者贏得彩聲，從此沉醉其間，樂此不疲，結果走火入魔，引招自焚，一世英名，盡付流水，豈不可惜？

人固然需要有創新和創意，但不能陷身死谷，無以自拔，事情做絕了，不單是絕情絕義，而且還可能絕子絕孫，天有好生之德，凡事都得有點退路，聰明像吳起那樣人，最後仍然死得慘不忍睹，天意如此，夫復何言！

人人都會出招，人人也都會接招，出招如果太狠太毒的話，不是招出身亡，就是兩敗俱傷，君子愛護自己，也愛護別人，所以，當你準備出招時候，最好能多加深思一番才好。

不要自我軟弱

我第一次出國時，對自己英文程度相當缺乏自信，因此在手提箱裡放了一本英文大字典，還另加一本較深的英文會話，心想萬一跟外國人無法溝通時，乾脆把它拿出來照本宣科一番。沒想到，在國外只要你大膽地說出心中一半的話，再加上對方一半的猜測，有時一些事情就這樣獲得某種程度的解決，所謂「三句英語走天下」這個論調也不是沒有道理的。世上很多事情，都因傳言失實，才削弱了你的自信。勞倫斯（Lowrence）強調「信者必能」。所以，他就靠這點自信征服了萬般險阻。

一個人光有自信，也不一定就會成功，因為自信不是沒有條件的。但是，做人最起碼的就是要有勇氣去嘗試面臨的挑戰，不見兩敵還沒有交鋒，就拔腿開溜。史記項羽本紀中的「三戶亡秦」句多少含有鼓舞士氣的意味，可是對自我軟弱的人，無疑是打了一針強心劑。試看一個病患當病症惡化時，只要內心再軟弱一點，就隨時可能結束生命，但也有不少病人卻能安然熬過危險期，而被醫生視為奇蹟，那就是憑藉他的堅強意志力，社會上有很多力量可以使一個人軟弱，但當事人必須告誡自己：「我不能軟弱，不能軟弱，我絕對不能軟弱。」

軟弱的人，他害怕這個，害怕那個，沒有一絲絲安全感。老同事蘇君告訴我一個真實故事，他有一位女同學，在一次遠足時，大家都通過了一條狹窄的吊橋，這個女同學就是不敢過去，兩個男同學想牽她過去，她還是尖叫不停，帶隊老師害怕出事，囑咐她走另一條小路過來，大家在原地等了她足足二十分鐘，事後不是譏諷她為「膽小鬼」，就是罵她為「十三點」，後來她嫁了人不失為一個賢妻良母，只是她還是早晚擔心二個小兒女會出事，沒想到果然有一天有一個歹徒到她家裡強劫，而且捉住她一個小兒子威脅她就範，這時不知她從那裏找回那樣大勇氣，突然順手從桌上拿起一把銳利大剪刀，大吼地砍殺對方，嚇得對方奪門而逃，從此，她不再軟弱，而變成很有自信，而且很勇敢的女強人。

當我聽到這則「故事」時，我深深感覺，這個女強人她本來就不是軟弱的人，可惜她開始時對自己太缺乏自信，總覺得她需要保護，需要照顧，需要依賴別人生存，一旦找回信心之後，開始發現自己錯估了自己，也許因補償作用而引發了內燃力量，使她益發自我壯大起來。

軟弱的人，他心虛、膽怯、缺乏真實感，深知自己缺少一些條件，但卻說不出所以然，他不敢面對現實，儘量避免可能遭受的尷尬刺激。他有時躲過、有時摔得更重，他不知道從何著手來調整自己的缺失，於是，他變得更軟弱，更屈服於外來壓力的拘束，其實，他忘掉一個最重要的力量——充實自我，尋回信心。

一個真正自負的人，一定有他自負的本錢，所以他是「誰都不怕」，儘管他有時會失敗得很慘，不過，他將是一個強者，或者曾經有過風光的一刻，這都是因為他有過人之處，相反地，一個「自反而縮」、什麼都不敢的人，就是心中有「鬼」，覺得自己不對勁，假如他能補足這些缺陷，他自然就會理直氣壯，無所畏懼了。

自卑僅是自我軟弱的一部分，故自我軟弱的涵蓋面較廣，一個人本來可以不必自卑，他的條件也不見得比別人差，只因他軟弱，他只看到自己的缺點，忽略了自己長處，他老站在陰暗處，去看自己的模糊影像，彷彿切斷自己的感官、思路與定力，一時跌入「雲深不知處」的迷谷，心中好苦，卻掙扎不出來，心想反正已經沒有希望，再懶散一點又有什麼關係。

我記得，當我大學剛畢業那年，曾去報考一所國立大學研究所，結果每科平均不到三十六分，慚愧得無地自容，以為自己是最差的「墊腳貨」，從此不敢跟任何人提起這檔事，也不敢再去嘗試，直到後來才曉得還有一些考生平均每科不到二十七分，這時才鬆了一口氣，知道根本是虛榮心作祟，完全在作繭自縛，所以很多事情應該看得達觀些、灑脫些、開朗些，或許會比較有心得，收穫也會更好。軟弱類似軟腳蝦，扶不起，也拉不直，渾身沒勁，永遠做一名逃兵，沒有看到砲火，就已經患上嚴重的恐懼症。軟弱過度的人，容易產生焦慮、憂悒、沮喪、飄忽、惶恐、緊張的併發情緒，不但影響身心健康，還阻礙進取的鬥志。

總而言之，軟弱的人，是把自己內力弱化，把自己優點淡化，把自己尊嚴矮化，把自己形象醜化，他喜歡用弱小姿態爭取同情，用低卑神情乞求悲憫，結果徒然害慘自己，還得不到別人的尊敬，這是何等的癡愚！

相見語依依

我上台南去，在火車站門口遇見二十六年不見的老同事楊君，他好像要在很短時間裡，告訴我很長他想說的話，我很耐心聽著，發現他在為自己多年來的委屈抱怨，他似乎忘掉我們曾經有過多次的爭執和動怒，也許我們現在都不再年輕，過去的恩怨也早已化解，可是，我卻不明白，他為什麼竟在我的面前批評那些還在共事的朋友？

人類最可怕的現象，就是心中積壓著太多的怨恨，當他在潛意識裡抑制得越強烈時候，一旦爆發出來，可有一顆定時炸彈的威力，其殺傷力之強，將超過我們想像的範圍。因此，現代人的紓解苦悶的方法，就是讓他將情緒發泄出來，我有耐心在火車站聽楊君的大吐苦水，也是基於這個原因。

男女相逢，也許會喋喋不休；老友相聚，也許會終宵長談；可是，你無緣無故地向一個不是很關心你的人，說那樣多你想說的話，是否應該，或者需要？

我在想，很多人一生中得罪太多的人，因此，他顯得特別孤獨，也特別寂寞，他一生下來，好像就注定是一個不受歡迎的人，他愛管閒事，他愛鬧事，他喜歡表現獨弦哀歌的性格，經常「獨來獨往，獨出獨入」，好像天下之大，只有他是一個清高的人，事實上，別人看到他，就彷彿遇上猛虎毒蛇一樣，我過去有一個同事，大家都說：「遇到他，就是倒楣開始」，他自己告訴別人的話，也大同小異：「你認識我，就是你的不幸」，像這種人，嘴巴說「是你的不幸」，但他的纏功真是「纏得你喘不過氣來」，以前流行「告狀」，他老兄天天樂此不疲，「黑函」、「白函」滿天飛，非把你逼瘋不可，因為他天天像大老爺，上班不辦事，有的是時間，磨得你「壯志全消」，整得你「九竅冒煙」，而他卻老神在在地坐在那兒等著接招，現在社會開放了，寫無名信告狀可發生了什麼作用，這種人就變成「長舌婦」，天天發狠，認為「語不驚人死不休」，非轟得你舉手投降不可。

社會上敗類很多，這種人就是社會的垃圾，可惜大家不敢得罪他，也不去清除他，使他更加趾高氣揚起來，覺得自己是一頭「飼料雞」，肉鬆氣豪，至少可以「狐假虎威」一番，到處咬人，咬得別人遍體鱗傷，自己卻躲在陰暗角落竊喜，對付這種人，難道大家都束手無策嗎？屈原曾經悲吟：「舉世混濁而我獨清，眾人皆醉而我獨醒」，最後自己卻迷迷糊糊地投江自殺了，我不贊同他這種做法，如果大家都以自殺方式來解決問題，那麼台灣海峽容量滿大，大家都跳下去，大概還會剩一點空位，試想，這種逃避、消極的法子真能解決問題嗎？

不久前，我參加一個愛國自強座談會，主辦單位發出成千邀請函，結果大官小官出席的相當不踴躍，最後來了一個民意代表，我跟他長年不見面，他看到我如獲至寶，把我拉到一旁跟我灌輸一番國家民族意識，甚至大言不慚地大吐幾年來對社會「痛苦的貢獻」，一定要我幫助他完成這項痛苦的犧牲精神，隨後像旋風一樣疾奔而去，我事後深思，他跟我「相見語依依」的目的，就是要我投他「神聖的一票」，可是現在社會上能言善道的人實在太多了，他們千言萬語，有時幾乎全部「言不及義」，這是多麼可怕的現象？在競選期間，最容易發生認知失調（Cognitive dissorance）情況，有些候選人專靠嘴巴吃飯，他的言行根本不一致，所以選民往往因為該不該投他一票，感到取捨難決，以致產生不協調的苦惱。

人與人的感情，多是經過長期培養出來的，如果突然「冒出感情」，其中一定隱藏著高潮或暗流，不是出奇的美，就是極端的醜。人和人相遇，倘若過去沒有感情基礎，竟然「依依語不盡」，相信一定也包含著某種微妙的動機和色素，這種「變態的感情」（Abnormal feeling），不是包藏禍心，就是經不起分析的。

當然，我們不能完全用有色眼睛去看任何無色的事情，有時也會因主觀的暈輪效果，而導致觀念和認同的偏差，可是，我們對於那些無緣無故跟你傾訴太多言不由衷或滿腹牢騷的人，我們不得不提高警覺，以免誤蹈陷阱而毀了一生名節，我認為，交朋友，必須有「等級」，所謂「等級」就是依感情好壞區分，有一定的界限，否則，所有人都能夠對你「語依依」地暢談，那你只有兩隻耳朵，你真能容納得下那麼多聲音嗎？

社會在不斷變遷，但我們維護社會秩序的信念應該不變，我們對自己所付出的感情更應該負責，我們不能專靠一張嘴巴辦事，對人要誠、要信、要知所進退，不要把別人當作傻瓜，也許最大的傻瓜就是你自己！

別小看自己

在舊時社會裡，勞工是很低微的職業，大家都有「工字不出頭」的根深柢固觀念，可是眼前社會變了，風氣也變了，勞工已儼若「現代皇帝」，新聞局最近出版的一本書就這樣寫著：

「時代激流中，我們扮演什麼角色？
那怕只是一枚小小的螺絲釘，
只要我們盡心盡力，
你我就是中流砥柱！」

事實也是如此，當你「自反不縮」，挺胸走過人前時，誰敢輕蔑你？

螺絲釘，真的，每一個人都像一枚螺絲釘，只是有大有小而已，大的可以釘大梁，小的可以釘小椿，儘管功力不同，效果完全相似。

完形心理學派認為有缺口的圓就不是圓，換句話說，有漏洞的建築物就不是完美的建築物，因此，任何一件東西，都不允許有少許缺陷，就像一個結構體中少一枚螺絲釘就產生難以估計的損失，而你，在任何場合裡，就是那枚不可或缺的螺絲釘，也許，你的存在，並不耀眼，但你的失落，就將是莫大損失。別人可以低估你，可是你千萬別先行自貶，你必須讓別人發現你的優點和長處，讓他感覺到，沒有你，就是一種缺憾，甚至是無以補償的損失。

我認識一個在銀行工作的女孩子黃慰君，她一向有氣喘病，有一天她的銀行在結帳時，發現短少參拾柒塊錢，怎麼算都湊不攏，這時候她的氣喘病突發無法繼續工作，整個工作都停頓下來，足足耗了半個鐘頭，她才稍微恢復過來，她強撐著身子再行「抓帳」，終於找出了碴子，大家方始鬆了一口氣，結果每一個行員都深夜才回家，她也因此住進了醫院，本來大家心中都在責怪她，最後反而被她精神所感召，對她多了一份由衷的敬意，她原來就是一名微不足道的小雇員，可是，沒有她，一時還真不知道怎麼辦，因此，我們不難想像，一枚螺絲釘在某種情況下就可能變成一股小馬達，它會帶動整個團體邁向固定的目標挺進。

我相信，凡是基督徒，沒有不知道奧古斯丁（Augustine）這個偉大的教父，他年輕時候那樣放蕩形骸，經過母親悉心的調教，給他「雙重的生命」，使他重獲了「生命的春天」，所以，一個低卑的人依然可以攀登生命的顛峯，一個軟弱的人同樣可以揮出堅韌的內力，我們不能輕視自己，只有自己才知道：「我該何去何從。」黑人，一直在美國社會中扮演著比較低卑的角色，在一九六〇年代，曾誕生許多「新的都市黑人」（New urban blacks），教育程度較高，以身為黑人為榮，對社會充滿攻擊性情緒，熱中使用暴力達成政治企圖，而今，黑人真的逐漸擡頭，連紐約市長也由黑人出掌，長此下去，黑人顯然將成為美國政治圈中的新勢力，這告訴我們一個事實，只要懂得掙扎、衝刺，奮鬥，不斷力求上進，低卑的人也會走出璨美的路。

一個人對自己缺乏自信，多來自長期的內在心理壓力使然，依據心理學家一項研究報告指出：「失業者比就業者在對自己健康情況的敍述上，報告了較多的症狀，諸如憂鬱，焦慮，和意志消沈等；當他們重新受僱後，這些症狀也就跟著消失了。」從這項報告中可以得到一個正確的訊息，那就是失意的人對自己信心有偏低的傾向，他們覺得自己什麼都不如別人，盡量壓抑自己的情緒和意願，使自己承受精神的虐待，而歸向失落的虛無。

這種現象一旦發生，人就會失去鬥志與支持力量，從好的方面來說，他已與人無爭，從壞的方面來說，他已心灰意冷；他固然可以過得很平靜，但絕無法過得朝氣蓬勃，自己淡淡過一生，子女還得陪他苦苦度一世，像這樣的父母，至少他沒有善盡自己的職責。

或許有人會說，平安就是福，太自負的人有時吃虧更大，當然這種理論是正確的，不過，一個人天生應該有一股衝動，那並不意味著他需要表現什麼，只是他要盡心盡力罷了！倘若他沒有走上戰場，就先開槍擊傷自己，豈不有違做人的基本理念。我一向認為，人最重要的是有一種潛力，這種潛力可以發揮到至大無極，表面上你可能做平凡的人，但你卻不能不把不平凡的內燃力量驅使出來，別人可以輕視你，你絕不能輕視自己，假如你輕視自己，就等於在謀殺自己，你這種無知，不但別人不會同情你，甚至會譏笑你是一個未戰先逃的懦夫。你願意做千人、萬人、億人所指的懦夫嗎？不，你當然不願意，那麼，抬起頭來，看看那一輪金光閃閃的春日吧！

三溫暖

「三溫暖」這個很邪門的名詞，在一般人錯覺的觀念裡，總以為三溫暖是一個色情場所，我初次去洗三溫暖時，多少含有些許尋幽探勝的心理，但發現它純潔無比，顯然傳言失真。

據我初步了解，三溫暖就是用「燙水」、「溫水」、和「冷水」三種水來洗澡，有益血液循環，尤其洗後再由上海按摩師替你指壓一番，一時混身疲軟，很快進入夢鄉，一覺醒來，舒暢萬分。至於三溫暖變質為「色情窩」，那是不肖分子的罪過。

我很喜歡洗三溫暖，過去幾乎每週總洗一、二次，可是現在連碰都不敢去碰，因為傳說太可怕，三溫暖有愛滋病患去沐浴、三溫暖有逃犯藏匿其間、三溫暖有群鶯亂飛怪象、三溫暖還有許多不法情事，固然這是誇大的形容，但已破壞了三溫暖原先完美的形象，似乎變成了可怕的「溫柔塚」。

其實，這個社會有很多地方都像三溫暖一樣，本來是一片淨土，不幸被少數不法分子污染了，像一些啤酒屋也有類似情況。當年我到韓國去，看到漢城有幾間淳樸的啤酒屋，一杯啤酒、一碟花生，慢慢品味，樂在其中，因此，我一再撰文鼓勵台灣也來經營啤酒屋，沒想到，台灣不但出現了一家，而且越開越多，小菜不是一碟，而是一桌，啤酒屋像三溫暖一樣，也逐漸變質，變得有點像香港的船舫酒店，既浪漫又奢侈。

人類不愧為天才魔術師，他可以使任何原始的東西，變得很美、很美，或者變得很醜、很醜，像英國的花花公子俱樂部、美國的拉斯維加斯賭城、韓國的華克山莊、馬來西亞的雲頂高原，這些地方看起來都是銷金場所，如果你能自我限制，玩玩吃角子老虎的遊戲，也不會太傷感情，可是，在這種場所，大家開始變質，變得失去原有風貌和神韻，使他變醜、變髒、變得陰森、變得罪惡盈貫，所以，人生主宰一切，可以使自己振翼高飛，也可以讓自己墜入萬劫不復的險境。

有一天，我光顧一家過去經常去過的咖啡廳，一進門，就覺得氣氛不對，幾個桌面都坐了二、三個花枝招展的小姐，其中一張熟悉的臉孔，似乎在一所學校還見過，我急忙退了出來，心想，明明是淑女，為什麼突然變成「野店的玫瑰」，這個世界，變得太快，快得令人來不及喘息和沉思，究竟是人心不古，還是人心太新、太玄、太不可思議。就像現代流行的無店鋪販賣術，用直銷（Direct selling）方式，縮短販賣的流通路線，這種變異，有好的一面，也有壞的一面，我們應該如何在進步中求取合適選擇，就頗費心思了。

由於社會進步太快，人類的腦筋也動得太快，他們一方面動盡腦筋想創建好事，另一方面又動盡腦筋破壞好事，當兩者碰在一塊時，往往抵消了原先的效果，甚至造成了更大的浩劫。本來電視可以增廣知識，現在許多團體把電視當作犯罪的工具。本來計程車可以解決交通困難，現在計程車經常發生意外的災難。因此，當人類把劣卑思想帶進生活圈子之後，一切都變得那樣粗暴，那樣陰毒，這實在是始料所未及。

三個月前一個中午，我從仁愛路穿越國父紀念館到忠孝東路去，我親眼看到一位中年婦人正抱著她的小女孩躲在牆角邊撒尿，我當時好生氣，覺得她自私得可恨，她只懂享受，卻不懂得珍惜，難怪很好的地方，都變得那樣粗丕醜陋起來，不過，幸好大部分人都還算清醒，知道如何去消除這些傷害，不是威廉•弗克納（William Faulkner）筆下「當我躺著等死時」（As I lay dying）那樣刻板和頹廢。

很多人都自命清高，喜歡把責任推得乾乾淨淨，好像他永遠是一個不吃人間煙火的人，他認為這個社會為什麼這樣混濁、零亂，全是別人的罪過，可是，他沒有想過，他也許真是一個好人，但由於他的縱容和漠視，而成了間接的幫兇。他沒有殺人，可是他眼睜睜看到兇手在殺人；他沒有說謊，可是他清清楚楚地知道壞人在說謊；他始終保持沉默，始終置身度外，他逃得過法眼，也逃不過良心的譴責，就像我目睹那個抱著孩子撒尿的母親，我當時真是那樣無力感，我在路上一直在想，我為什麼變得那樣軟弱無能？

在實驗室中證實，社會學習（Social Learning）有助於人格發展互動的價值，因此，我們在社會學習的過程中，最起碼要學習到一個基本的做人原則——忠於良知，良於感情，忠於人格的尊嚴。

社會困境

台塑董事長王永慶把企業的「殼」移到大陸去，把「根」留在台灣，聽起來很動人，想起來很困惑，因此有人在問，他葫蘆裡在賣什麼膏藥？

我不認為王永慶有什麼錯誤，因為企業家本來就是「有遠見、有抱負、有創意，而願意承擔風險的人」，所以他冒險到大陸開闢新天地，站在企業理念上是完全正確的，企業本來就在追求合理利潤及美好生活，只可惜他忽略了企業家的社會目標（Social objective），換句話說，他太重私利，而忘記公利，不足以表現他濃烈的社會責任感，始招致國人的詬病和評責。

其實，所有企業家幾乎都處在很尷尬的情境之下，他們一方面想賺更多的錢，一方面又想對社會盡更多的心力，可是，當利害相衝突時，他就產生抉擇上的困擾，於是，出現了一種很微妙的社會困境（Social dilemmas）。所謂社會困境，通常有兩種含義：第一是當違背社會利益比維護社會利益時每個人能獲得較高的立即報酬，第二，但從長遠的眼光來看，如果所有人能夠協力合作，不違背社會利益，則所有的個人將能得到較大的利益。單從上述的含義來剖析，我們不難發現，一旦社會困境發生，端視個人如何去作妥善的抉擇，倘若他看近利，當然要以立即報酬為意願，相反地，他如果看得深遠，他自然以共蒙其利為依歸。這個理論似乎很淺顯，但作抉擇的人，就煩惱叢生了，因為近利是看得見的東西，遠利和群利還是渺不可及的玩意，何況人都有私心，認為沒有理由去捨近取遠，做些不著邊際的奢求，只有那些懂得回饋社會的人，才願意以犧牲精神去完成社會的使命感，這是多麼艱辛的奉獻，談何容易，又何其難得。

今天，你和我，都可能面臨社會困境，一個人生活接觸面愈廣，所遭遇的社會困境益呈複雜化，究竟該採取何種方式來化解這種困境，端賴智慧的明確判斷，運用智慧來判斷困境，看起來很簡單，但實際上牽涉到很多利害關係。我有一個朋友，他親戚慫恿他到美國投資做房地產生意，可是他早已經答應另外一位好友在台灣合夥做類似生意，幾經考慮，他還是決定在國內做合夥股東，他只出錢，不負責實際經營業務，結果他意外賺了兩幢高級洋房，大家都說他很有做生意腦筋，事實上，他半點理財細胞都沒有，他發財除了靠天吃飯之外，更重要的，他做了一次明確的判斷，據我所知道，他當年不應諾至親的邀約，而毅然加盟好友的行列，理由有三點，第一、他答應好友在先，不願做一個輕諾寡信的人，第二、他心想在國外投資，自己又在國內工作，根本看不見業務發展的狀況，親戚為人固然很值信賴，但總是無法作完整的掌握，第三、最重要的一點，他一生沒有做過發財夢，省吃儉用地儲蓄一點錢，只希望平平穩穩地過一生。基於他抱持無所謂的態度，他對這位好友又極有信心，因此，他作了一次最明智的決定。所以，社會困境再多，而你若能機警地加以掌握和處理，可能這些困境都將為你帶來額外的酬賞。

社會困境隨時隨地會出現，並不是每一個人都能把它處理得很完善，每個人都希望大家好，但每個人更希望自己好，如果兩者發生矛盾和衝突時候，人的自私觀念就會強烈曝暴出來，這時候他不再有耐心去展望未來，他不惜犧牲別人來成全自己，社會利益已沒有個人功利觀念來得重要，「欲心生邪念」，他已失去道德的良性節制力量，萬一這種現象累積的擴散或增加，自然社會就無法顯得均衡和諧了。

當我們面對社會困境時候，不要太凸顯「我」的價值，絕對要思慮周延，多想周圍的人或事，盡量設法促進人我合作的可能性，謀求互益、共利、團體凝聚力，最好能設立一個目標，讓大家能夠看到透明化的指針，知道方向，預估收穫，存一個特定的理想對象。倘若一無所獲，也不必怨恨，人最主要的在盡心，盡心之外應該別無所求，這樣會過得很平靜，很安適，很舒暢，很灑脫，很有人情味，至性感人，而且贏人尊敬。

這個社會就因為大家都替自己想得太多，一遇社會困境，就原形畢露，你爭權、我奪利；你搶功、我顯名；很少能從長遠眼光去衡量大我的均益，因此不但不能協力合作，甚至展開激烈的鬥爭場面，最後乃至誰都沒有沾上便宜，徒然為社會製造更多的困擾。

我們不要去責怪別人有沒有社會責任感，我們應該先檢討自己完成了多少社會責任，當我們對自己有了信心之後，才敢理直氣壯地怒吼：你為什麼那樣自私！

心平如水

我這一生中，幾度在情海中載浮載沉過，但都沒有大起大落的風波，因此，每次看到癡情男女親暱的鏡頭，總不免使平靜的心海激起幾許酸澀的浪花。

人的心緒複雜，很難沒有牽掛，陸放翁臨終時還抱憾悲吟：「死去無知萬事空，但悲不見九州同。」死的人還牽掛多多，生的人又怎能不牽腸掛肚呢?至於像柯達攝影機發明人喬治·伊思曼（George Eastman）舉槍自盡前留言：「吾友，吾責已盡，夫復何待?」這種人，大概不多，我想一個人能夠一無牽掛地走了，應該算是很幸福的人，可惜人世間能有幾個?

古代行俠的人，常有「恩怨相了斷，生死兩無懼」的情懷，這時他的心境很平靜，好像任何悲歡離合對他都已發生不了作用，他只希望在人海中成為被遺忘的人，因此，突然遁世歸隱，其實，這不是他真正心無塵緣，只是他想「透過印度的冥想，而達到佛家萬事皆空的境界」，然而他那悲天憫人的古道熱腸，依然澎湃心中。所以人要斷然平靜下來，真是太難，也太苦了。以我經驗來說，我雖然曾有出家的念頭和衝動，但最後還是按捺不下盤根錯結的情緒，心欲靜而慾難消，腦海裡還是胡思亂想，那種心虛意淨，明心見性的道行，可不是一般俗家弟子所能把持的。五年前，有一位很冒失的先生，彷若記錯電話號碼打到我家裡來，我告訴他打錯了，幾秒鐘後他又打來，這樣連續了三次，我終於忍不住吆喝：「你怎麼老打錯，不能停一停嗎？」我的確缺乏涵養，也沒有風度，果然他不再打來了，第二天我的另外一個朋友打電話問我，是否換了電話號碼，因為他有急事託他的同事打電話通知我去拿一包碎玉，我這時恍然大悟，那個打錯電話的人，根本沒錯，大概他國語發音不準，被我大吼了幾聲，把他唬住了，結果我還賠了一百個不是，就由於我心浮氣躁，才誤了一樁買賣，所以，一個人要心平如水，又談何容易？

這是一個紛爭不已的社會，也只有心平如水的人，才能寧靜致遠、才能恬然自得、才能通達處世，試想，當一個人憤怒得像一隻狂獅時，他還會保持什麼樣好態度，這時候，他比別人兇，比別人狠，也比別人沒有理性，他很自私，專替自己辯護，他一心想征服對方，他那裡還會有所顧忌，他自認最大，他冷不下來，也靜不下來，這時他即使成功了也會失敗，他失敗了那就更加「一發風雨添悲愴」了。一個人倘真能體會到「心歸俗塵外，道在有無間」的真諦，他就會涵化出很高的德行，無所求，更不奢求，自然「心平氣和、千祥駢集」了。

心平的人，不是懦弱，而是與世無爭，與人無爭，但求心安，不求表現，儘管大家都說「善的人欺，貧的人笑」，而他就是不怕人欺、不怕人笑，永遠那樣篤定，那樣不受別人干擾。

史坦福（Gene Stanford）援用莊子「鼓盆而歌」的哲學思路，來引述一個老道人失去愛妻的故事，老道人以豁達安寧的心胸，去接受死亡的真相，德軍大元帥倫德斯特（KareRudoefGerd Von Rundsteat）一生都很冷靜，在紐倫堡大審時，他原是到庭做證，但他請求准許他站在自己戰友旁邊一同接受審判，充分表現出一個鎮定忠勇的軍人本色。所以，能靜的人必能安，能守的人必能攻，許許多多事情，都要以從容恬淡的態度去周旋應付。

在我們每一天裡，每一刻裡，每一秒中，都可能承受意想不到的刺激，倘若對所有刺激都用強烈態度來反應，有時不但收不到效果，或許還有反作用，這時必須先靜下來，多用腦、多用心，去想、去求取答案、去找出解決的途徑。一個人能有步驟地想，有步驟地規劃，有步驟行動，他的成功是不難想像的。

年輕的人，最大缺點就是心太浮動，往往無法自律和自制，隨時會因激動而沖昏了頭，把每一件事情都想得太美，而卻無法做得真美，假若我們能經常訓練自己保有一顆寧靜的心，而且一平似水，縱使稍湧浪花，依然能回歸平靜，這樣我們就會袪除很多煩惱、悲怨、憂悒和絕望，把自己情操美化，不傷人、不傷己、不傷你和他。唐彪說：「德盛者，其心和平」，和平的德者，是何其難得啊！

萬萬珍重

費希平以豪情萬丈的心志籌組了民進黨，但卻以黯然神傷的愁緒脫離了民進黨，一時對比強烈，留下爭議不休的話題。唉！費老已老，情海無情，難道人與人相處，真如存在大師齊克果（**Kier Kegaard**）所說：除「你虞我詐」之外，就別無其他的存在嗎？

在歷史長鏡不斷推演下，多少英雄人物，都在「風雨相催」下成為無枝可棲的孤魂野鬼。當我們想起韓國過氣的強人全斗煥時候，對他向全國同胞噙淚自責的畫面，有著太多酸楚的淒茫，強者也有落難的光景，人生是何其無奈，和難以自圓的嘲弄。

人世間有太多想像不到的絕事，像最近被捕的「士林之狼」禹建忠，他的父親竟然是主持「一一九」極受讚譽的「急難之友」禹益友，這再次暴露出少年虞犯的危險性，與父母寵愛子女的可怕性，這個殘酷的事實，給普天下父母提出鄭重的警語：「一對傑出的父母，未必能調教出一個溫順的兒女」。難怪備受孔老夫子推崇的聖人柳下惠，竟然有一個殺人不眨眼的弟弟盜跖。

這個社會上，沒有最強的人，也沒有最弱的人，強者也有沒落的時候，弱者也有出頭的日子。其實，在動物界也屢見不鮮。童話故事中敍述一隻大象神氣萬分，根本不把小老鼠看在眼裏，有一天小老鼠光火了，爬進大象的耳朵，使大象不得不俯首稱臣。衛克斯（Yerkes）實驗報告中指出，當雌猩猩在動情期，雄猩猩只有在旁伺候，先讓雌猩猩取食，儘管口水直流，亦不敢越雷池一步，直到雌猩猩吃完才吃牠所剩下的食物。證諸母牛亦復如此，牠更是威風八面，雄牛倘敢侵犯，就用牛尾襲擊，因此，強與弱的支配規律，不是一成不變的。

有人上一分鐘正在出盡風頭，下一分鐘就成過街老鼠，所以，當一個人權傾天下時候，就應該為自己鋪一條可以優游自在的退路。看看王安石下場的憂思鬱結，就知道盛極而衰的悲哀，足見人生苦短，萬萬珍重。

人真是一種莫名其妙的動物，有時天真得可愛，有時狠毒得可恨。當立法院院長倪文亞在任時候，少數人想盡辦法來羞辱他，當他卸任時候，每一個人都狂熱頌揚他，虛情假意，溢於言表，我真不知道，這是否就是人性。人喜歡同情弱者，又喜歡巴結強者，所以喜歡在夾縫中尋求「利得」，表現出高度狡滑的心性，既不真、又不誠，一幅缺德的嘴臉，然而，依然有很多人明知是「假」，卻甘心受騙的「愚」人，以致彼此鈎心鬪角，吹皺一池春水。

在過度開放的社會裡，每一個人都想當「老大」，立法院不能有大老，監察院也不能有大老，國民大會更不能有大老，於是，一群老大，從立法院打起，打到國民大會，那種不堪聞睹的醜劇，使老百姓耳濡目染之下，能不群起效尤嗎？人性的尊嚴，倫理的包袱，道德的鋼架，都抛出九霄之外，這還像什麼社會？

國民黨不是最好的國民黨，民進黨也不是最好的民進黨，那麼該由誰出來籌組一個更理想的政黨？知識分子應該有骨氣，不能有傲氣，我們要良性改革，不是暴力韃伐，我們要為天下蒼生著想，不是光顧自我私益。今天你指著別人鼻子大罵，明天安知沒有人揪著你的耳朵痛責，我絕對贊成國會改組，但我也絕對主張用和平漸進方式來達成目標。

在台上的人多威福自任，但在台下的人未必就看他很順眼，因此，台上台下都應該退一步想，儘量包容異己，體認共生關係（Symbiosis）的實質意義。

有一年，我任教一所國立大學，校內教授個個年輕有為，自命不凡，開會時互相數落對方的不是，主席招架不住，對任何事件都不願意作斷然的決定，但會議仍每次如期的進行。當時我很看不起他，事隔多年，我才想通了一點，他原來是採用「無為而治」的妙招、而其中一位性格剛烈的教授後來也做了主管，並沒有表現很出色，這在在說明台上台下的角色扮演並不能事事稱心如意的。

這個世界沒有永遠強勢的國家，這個社會也沒有永遠獨霸的強者，我們要尊敬每一個人，我們也要體恤每一個人，在不同的環境裏，有他不同的生活背景，我們沒有辦法強求每一個人都跟你言行或思考一致，然而，我們要收起自己火暴的性格，和獨霸的至尊，多珍惜自己已擁有的幸福，也多關懷別人所既存的權益，在合理的溝通下，找出一條可以共存共榮的生活模式。

他很土，可是很憨厚

我年少時候，大家都說我一臉精明相，靠不住，後來我到一家金融機構做事，我儘量讓自己沉穩內斂起來，結果所有升遷機會都沒有輪到我，大家又笑我「太老實，不會走門路，完全是讀書人」，言下就是罵我笨得像一隻「呆頭鵝」。這時候使我內心激起強烈的矛盾掙扎，我根本不知道自己該扮演什麼樣的角色。

時下年輕人，很喜歡高唱「我很醜，但我很溫柔」，事實上，他接下去再唱的話，應該是「但我更風流」，所以，法律的「但」書，會出很多毛病。就像目前社會裡有很多很「土」的人，外表很「憨厚」，卻做盡傷天害理的壞事。日前，朋友在一家西餐廳替我介紹一個出版商，他特別強調：「王董事長，雖然土土的樣子，但很憨厚。」我不疑有他，當我起立上化妝室時候，剛巧碰到一個老鄰居，他把我拉到旁邊警告我，那個王董事長完全是一個「空心潤佬」，很多人都上過他的當，因為他的外觀是最好的保護色，我謝謝他的好意，但並不吃驚，主要是我跟這位「空心潤佬」不可能有什麼業務或金錢來往，鄰居的話很難使我全信，但至少使我多了一份警惕。

按常理來說，一個外表很忠厚的人，他不應該內心很狡詐。可是，現在社會變了，人性也變了，一個規規矩矩的年輕人，只要在這個大染缸裡染幾下，不是被漂白，就是被薰黑，甚至把自己本性都磨得精光，所以，這個社會蠻可怕，一個人如果自己把持不住，就像在大海中游泳，當筋疲力竭時候，極可能慘遭滅頂。

白領階級犯罪在當前社會相當風行，而且經濟逃犯更是「一枝獨秀」，考其所以能得心應手的原因，拜其有一套偽裝的保護色，上當的人因疏於警覺性，而被誘進陷阱，這種人，儀表道貌岸然，骨子裡倒像一隻污穢不堪的金蒼蠅，他貌恭心狠，聲怡膽毒，逼得別人成瘋發狂，自己卻擺出一副「干卿底事」的閒態。

保護色在昆蟲中最廣為應用，昆蟲最大敵人是鳥類，為了逃避鳥類的攻擊，避免被其發現，常把本身的顏色和形態都化裝成和周圍相同的顏色，像熱帶森林中的竹節蟲和木葉蟲在這方面有獨到功夫，牠在不同環境中會呈現出不同的顏色，住在綠草叢中的蟲類全身呈綠色，但在土壤或河源中則呈褐色和灰色，住在稻禾本科植物中竟有酷似稻莖線紋，這種巧奪天工的「埋沒色」，完全是適者生存的表現，像熊貓體毛的黑色兩色，更是動物慣用的迷彩術。不過，我必須強調一點，動物所用的保護色，多為消極的自衛，而人類所用的保護色，卻旨在侵犯別人，居心叵測。

現代人多屬口蜜腹劍的人，有一天我在六個不同場所聽到六個不同的朋友對我說一句相同的話：「你越來越年輕了！」這是怎麼可能的事情，即使時光可以倒流，年華也不可能復在，後來我回家站在大鏡子面前，顧盼生姿之餘不禁黯然失色起來，我發現，再美的辯藻也掩飾不住已經退化的膚體，人應該洞察真相，不要作太多奢侈的自我陶醉。

如今社會猶如一個賭場，很多人抱著一堆籌碼，在賭場上亂下賭注，有時輸掉名譽，有時輸掉幸福，有時輸掉性命，輸掉人格尊嚴，可是，他並不後悔，他來到這個世界，好像就是下完這個賭注，他那種執著的精神，和頑強的態度，教人難以置信，也許你會問，究竟為了什麼，我想，我能夠回答的，也就是，我不知道為了什麼，唯一可以解釋的，他很貪心，他想在輸贏之間爭取那百分五十的勝算。

人大概就為了這個勝算，不顧一切地豁了出去。他很土，但他有兩個可能，一個是他很真，另外一個就是他很假。可是你必須跟他交往之後才能揭曉，很多人基於這個道理，他願意冒險，寧願打一次沒有把握的仗，就像現在眾多地下投資公司，明明風險很大，大家還是前仆後繼地投個沒完沒了，這大概就是白鼠跳跳抬的「變態執著作用」（Abnormal fixation）吧！

德國神秘主義者艾卡（Eckhart）曾說過：「有人說他是上帝，他就不是；無人說起的那個倒比有人說他是的那個更真實些」，從這句話來推演，自稱「很溫柔」的人可能相當「花心」，誇讚他「很憨厚」的人，可能十分狡猾，因為別人加諸他身上的保護色，使他幹起壞事更是暢通無比，固然我們不宜「小心眼」看「大家樂」事情，但我們至少要在印證之後再下結論，似乎比較妥善，因為這個世界上：

很醜的人，常做很土的風流事；
很土的人，常做很醜的聰明事。

藝術中的色情

很多人看過錄影片「激情交叉點」（Two moon junction）由芬茵（Sherilyn Fenn）及泰遜（Richard Tyson）合演。女主角芬茵不論臉蛋、身材、氣質、演技均可圈可點，全片充滿迷人的誘惑。芬茵有全裸鏡頭，予人激情的陶醉，而非色情的驚悸，究竟是藝術還是色情？實在很難遽下評斷。其中有一段描述男女主角在幽雅餐廳內，因熱情奔放，當眾肆無忌憚起來，看得四周賓客目瞪口呆，但他們渾然忘我，別具風格，真能慰我心懷、解我煩憂，留下絲絲的涼意。

美的感情和美的動作，或許有挑逗的作用，但卻無獸慾的歹念。芬茵長得玉潔冰清，縱使一絲不掛，觀眾只會覺得她「美不勝收」，不會覺得她「邪惡不堪」。而我們國內的模特兒許小姐，動不動就露乳示威，有一次去高雄拜訪蘇南成市長，蘇市長避不見面，她竟公開露乳，並大膽宣稱：「你看看我的胸部，比大頭市長的頭還大！」其實誰的「頭」比較大，都無關緊要，但她猥褻的語辭，給人很低俗的感覺。所以，人必須有自知之明，才不致自取其辱。許女辯稱露乳是「正當的自衛和嚴肅的抗議」，所以他認定這就是「藝術」，這是不是藝術，大家心裏有數。

由於裸露藝術的風行，就牽連到成人電影可不可以放映問題。成人電影這個問題，在電視台已有激烈爭辯，女作家李昂堅決表示反對，因為她是那樣純潔和保守，可是有一名聽眾很不解地問她：「妳認為成人電影太色情不宜開放，那妳為什麼儘寫類似『殺夫』的小說？」而她竟避重就輕地自我宣傳一番，說「殺夫」已譯成很多外國文字，是一本「很藝術」的書。我深信李昂對男女關係有相當深入的研究，否則寫不出那樣深刻的感受，這證明色情和藝術是很難作分野的，有時作者是用很藝術的感情、筆調去描述很色情的情境，結果，牛頭不對馬嘴，才發生南轅北轍的反應。所以，我看「激情交叉點」是藝術影片，許小姐強調她露乳是「最清純的藝術畫面」，李昂則堅信「殺夫」才是最動人的藝術作品，你說，誰的答案始是「萬世至論」？

我們知道，由於審美的客體（Acsthetic object）所經歷的美感經驗不同，因此，對同樣的一件藝術品，就會產生懸殊或背馳的見解，也許誰都沒有錯，但我們不能單憑個人的直覺感受，就表現出與眾不同的態度和偏見。所以，審美最好有一個共同的藝術倫理標準，以發揮人性無私、素樸、真純、至中至誠的感情和鑑賞能力。

我不反對大膽，我不反對開放，我不反對對藝術執著的感情，我不反對個人有自己的看法，的確，每個人都應該有自己的看法，但不能太離譜、太脫離常軌、太偏、太亂、太迷糊、太任性、太玄、太絕、太無法令人信服。人要活得有自信，卻不能自信得無理取鬧，貪婪得罔顧羞恥，只懂得在盲目中衝動，結果美醜不分，失去人性的光輝，失去藝術的功能，也失去藝術的品味。

很多淑女、紳士，他們用很假的理論來支持他們很假的人生觀，他們自認很權威、自認反抗傳統，一心一意要從藝術的隊伍中闖出一條嶄新的蹊徑，可惜他們算錯了公式中一項平方根，以致在迷惘中徬徨失措。

藝術就是高貴，就是美感，曲解藝術的人，才會在藝術中滲入濫情的色素。藝術的路很難走，必須心術純正，方能修得「正果」。

藝術的定義很清楚，但欣賞者的觀念多很模糊。

我不是藝術家，我偏偏喜愛跟人家討論藝術的話題。在我感覺上，音樂家華格納的「尼貝龍根的指環」、畫家羅特列克（Toulouse Lautrec）的「夜總會」、薄迦丘的「十日談」，應該都是很藝術的名作，可是，當初卻引起不少爭議，所以，藝術有賴大眾的評賞，你自己的觀點有時會被別人否定，你不必訝異，但需要虛心檢討。

藝術家有很重的時代使命感，不要扛著藝術的擔子沿街販賣色情的贗品，藝術和色情固然有糾纏與混淆的時刻，但最後藝術仍歸藝術、色情仍歸色情，終究是涇渭分明的。

藝術、藝術不是喊出來的，一件無價的藝術品，都是由鮮明的實體與抽象的智慧融和而成的精妙產物，所以藝術中不容許存在著色情的味道，縱使有幾許分辨不清的色彩，那也是肉慾淨化後所殘留的激情遺痕，隱約中顯現出藝術昇華後的更高境界。因此，大家都認為藝術的情感是含蓄的、婉約的、玄奧的、超邁的、細膩的、無法一眼看穿而具有悸動心靈的力量。藝術的層次很高，不能和色情混為一談，然而，像我這樣缺乏藝術細胞的人，很難去認定什麼是真正的藝術，我想，跟我同樣的人一定不少，我們還是虛心地學習吧！

裸與性

許姓舞者表演了一場裸舞，終於一夕成名，如果她只為打知名度，似乎已達到目的；如果她別有用心，那就另當別論了。

「裸舞」該不該准予公演，已成爭論不休的話題，我個人不反對「裸舞」，但我卻反對由許女來演，主要是許女「性生活太浪漫」，還有是許女缺乏「舞者的造詣」，我意思是說，許女假若真有聖女貞德的形象，和舞后鄧肯的美姿，那麼，當她翩翩起舞時，別人就不會用有色眼光去看她，而真正達到「見山不是山」的藝術化境，這種舞，為什麼不能演？像拉斯維加賭場附近有許多高級秀，舞者百分之八十都是上空光潔，看起來沒有一絲色情味道。

許女自承跟無數男性有過登堂入室的關係，其中有七次刻骨銘心的回憶，最近還在一些刊物中發表香艷低俗的作品，使人懷疑她是「性太開放」，以致「舞就裸蕩」起來，完全貶降一個舞者高妙的藝術才情和理性抱負，我個人為她惋惜，也為利用她賺錢的人感到噁心。

我發現，一個願意將肉體供人公開觀賞的人，絕大多數都是有過性行為的人，因為她覺得自己沒有什麼神秘感。就像有一次性經驗的少女，可以繼續不斷的付出自己的靈肉一樣。在她感覺到，有過一次，跟有過十次、百次又有什麼不同？所以第一次的嘗試，往往是女性一生中關鍵性的決定，難怪古人很重視女性的「童貞」。

在六十年代，大家已感覺男女性行為太隨便，現在簡直是離奇的瘋狂，這跟裸露多少有點關係。住在我家附近的一位未婚少女，每逢夏季衣服都穿得「少得可怕」，整個乳脯幾乎都「奔竄而出」，因此有人開始對她好奇地研究起來，最後所得結論：她是「高級的娼妓」。

我們知道，在性變態（Paraphilies）中有一個動人名詞叫做「裸露狂」（Exhibitionism）意指有人故意將生殖器官暴露在異性前，而患者多為男性。可是，這個名詞現在已廣泛地應用在文學描述方面，泛指男女肉體的大膽暴露，尤其是年輕貌美的女子。我們想想，女人把不該露的地方都露出來，她的用意何在，實在費人推敲，不過她至少在有意無意間製造性的誘惑，是毋庸置疑的事實，可是，她似乎很少考慮到，她這樣類似犧牲色相的動作又能勾起多少男人的好感，甚至弄巧成拙，成為男人心目中的「低賤女性」。有人懷疑這與自身喪失感（Depersonalization）有關，以為個人已喪失其對自我存在的真實感。這種人常感身體不存在，一切事物有若夢幻，行為與感覺成為分離狀態，個人心靈蒼白，對生命有一股空虛失落感。當然，這已經接近行為失常的現象，然而，一個無緣無故要把自己胴體裸裎出來，不是跟行為失常也很相似嗎？

由於「裸的自在」和「愛的喜悅」，男女雙方往往不顧一切地交纏不已，直到一個冒失的嬰孩叩關而入時候，才猛然夢覺，但已大錯鑄成，最後不管誰負情，都將是憾事一樁。元朝名士王實甫早就說過：「知音者，芳心自同；感懷者，斷腸悲痛！」一對曾經有過膚體關係的人，不論如何都不該做個負心人，所以，基本上就不能走錯一步。

歐美國家多主張性開放，但並不贊成性氾濫，所有的學者專家都一再呼籲年輕人要愛惜自己，愛護別人，不能因一時衝動而遺憾終生，當然我們國家對年輕人管得更嚴，也更重視道德和情操。性不是愛，甚至是愛的破壞者，一對男女過早發生性行為，極容易引發愛情急速的衰退，古人十年八載的馬拉松戀愛，在這個世界幾乎已銷聲匿跡，原因無他，現代人「裸得太多，愛得太少，而性又異樣火烈。」

前幾天，接到一家歌廳寄來一份招待券，歡迎我去免費觀賞他們的「透明秀」，我不明白是否就是「裸秀」，可見現在這個社會大行「裸風」，你能裸，我也能裸，看誰裸得更徹底，閉目一想，這和原始社會又有什麼不同呢？所以，裸得太多，就有復古味道，而且容易製造罪惡，還是把衣服穿上吧！

三十年代，很流行「裸奔」，也曾轟動一時。八十年代，許女倡導「裸走」，也別開生面。我已強調，我很開放，我不反對「裸」，只要裸得不肉麻、不低俗、不下流、不無恥，裸二下，露二手，又有什麼不可？但願從事藝術的人，能夠將藝術和色情分得清清楚楚，不要將色情混進藝術的領域，而蹧蹋藝術的價值和使命。假如許女能夠舞得「絲絲入扣」，而觀賞者又能看得「仙仙欲醉」，其中不含任何色情的煽惑，豈不皆大歡喜？只可惜，許女只會「裸」，不會「舞」，才減弱了藝術的身價，走筆至此，三聲無奈！

人生像霧不像花

霧失樓台　月迷津渡

——秦觀

舊金山跟我結下很深的緣分，那個地方經常有霧，我就喜歡那種霧，朦朦朧朧的，在玄奧中蘊含著哲理。人生就像霧，摸不清，也猜不透，沒有霧，人生就失去美感。

有一天清晨，我陪兩對朋友夫妻去爬國內一座不知名的山，霧很大，大家都相互叮嚀，不要走散了，我在騰雲駕霧中突然萌生異想天開的幻覺，我想萬一這些朋友剎那間都不見了，是登天去，還是入地去，終於我發現了一個事實，他們都沒有離開這座山，只是雲深不知處而已。

人生本來就不能想得太清楚，都被你想通了，還有什麼情趣，人與人之間，也不能打破沙鍋問到底，當你太瞭解他時候，你會覺得他沒有你想像中的偉大，既不神秘，還很庸俗，以致社會上許多偶像型人物，在他配偶心目中簡直一文不值。我們不是在掩飾自己，而是不必把醜陋的真面目完全暴露無遺，至少要保留一點自我的隱私和尊嚴，因為人都有一些缺點，在顯微鏡下都是不堪細加分析的「四不像」。

「霧失樓台，月迷津渡」是宋朝秦觀成名句，寫濃霧遮罩著樓台，樓台的影子一片模糊；朦朧的月光輕照著渡頭，渡頭是一片的迷濛。不但景色淒美至極，而且暗喻人生的迷茫徬徨。我一直覺得人生像霧，難以捉摸；並不像花，開得太快，也謝得太早。我們看不清自己，當然更看不清別人，或許就因為這樣，人生才變得更耐人尋味。

我在新聞界有一位朋友，人稱「萬事通」，跟他談論古今中外大事，他真是倒背如流，瞭如指掌，不料有一天在大庭廣眾之下，有一個年輕貌美女記者請教他一些電腦問題，他開始時還充內行，勉強答了幾句，接下去就原形畢露，簡直是一竅不通，另外一個朋友開玩笑說，以後就叫他「萬半通」好了，結果弄得大家不歡而散。我相信每一個人智慧都有限，專長也不一樣，沒必要樣樣逞強，事事求表現，同時也不要為難別人，任何人都有一點秘密和缺失，說穿了反而有失厚道，隱隱約約的才會增添疏離中的親密，人生方向本來就不是完全透明的，熱戀中男女為什麼那樣甜美，就因為彼此隔著一層薄紗，隱約中聽到對方脈搏的跳動，卻不知道跳了幾下，但敲得你意亂心迷，一頭鑽進情海裡。所以，最美的人生像霧，別把霧水悉數抖得盡光。

抖盡心中的雨水

但見淚痕濕，不知心恨誰

——李白

最大痛苦，是眼中無淚，心裡有淚；最壞天氣，是天上無雨，心裡有雨。人的肉體病痛，容易痊癒，心靈創傷，很難根治。

一個人哭，要有目標，一個人恨，要有對象。假如哭了半天，還不知為誰而哭，恨誰而悲，那才是最大的痛苦。李白寫美人幽怨情緒，楚楚惹人憐愛，只見她淚痕猶濕，卻不知她恨的是誰。我們可以理解，有些人因為歷經無數的災難與折磨，遭遇太多坎坷和打擊，一時只知道恨到極點，卻想不起應該最恨的是誰，在他心裡，可恨的人很多，可悲的事更多，幾乎不敢去想，也不知從何想起，這種痛，是說不出來的痛，痛徹心脾，忍無可忍，但卻又無可奈何，惠特曼說：「我的悲傷太重了啊，或許我已熬不過今夜。」可是，有很多人，有很多時候非熬過今夜不可，結果熬出了永難治癒的憂鬱症。

這個社會罹患憂鬱症人相當多，他們心中很苦，苦到形容不出是什麼滋味，以致有許多人用自殺去解脫內心的苦楚，當他剛離開塵世時，是有人為他悲傷，難捨他的離去，但時間是無情的殺手，日子久了，誰還記得那個為憂鬱症自殺的可憐人兒。活是一種權利，你放棄這種權利，根本就是愚不可及。曾經有一位徐姓痴情女孩跳樓結束美好生命，當時新聞非常聳動，現在恐怕已很少人還記得她叫什麼名字，我就是其中的一個。這樣死去，犧牲太大，一點代價也沒有，那個花心大少，可能還躺在溫柔鄉裡細訴他的風流韻事。

請擦乾你的淚痕，請抖盡心中雨水，你不要做可憐的人，要為自己高貴人格歌唱，「荷盡已無擎雨蓋，菊殘猶有傲霜枝」，一個被惡意遺棄的男女，必須像凋殘菊花一樣，其菊枝依然在風霜中傲立不屈。人活著有很多責任，不能光是淚珠滿面，痛不欲生。

有一次艾利颱風肆虐臺灣，造成滿目瘡痍的蒼涼景象，有一位家毀人亡的婦人，幾乎活不下去，但想到還有一個女兒生死不明，才重燃生機，最後終於看到從山區救下的愛女，一時擁抱一塊，臉上擠出幾絲笑容，她靠毅力克制痛苦，靠信心期待希望，她是一個平凡的婦人，卻表現出不平凡的母愛。

請不用哭哭啼啼，請不要怨怨艾艾，請你、請你趕快抖盡心中的雨水，快樂和幸福是靠自己爭取來的。

心捲千堆情

記得綠羅裙　處處憐芳草

——牛希濟

我們看到山，就會想到海；看到天，就會想到地；看到男人，就會想到女人。所以，「問姓驚初見」，才會「稱名憶舊容」。聯想是很自然反應，是由一條線索牽引出另一條線索，越牽越多，多到有時更模糊不清起來。又彷若天蠶吐絲，縈繞出一個個扎實的繭，根根密接，牢而難斷。當人們想到木馬屠城記慘絕人寰的浩劫時，就會聯想起該戰役的聯軍統帥阿加孟農（**Agamemnon**）因屠城而遭天譴的厄運；想到美國總統甘迺迪（**J. F. Kennedy**）遇刺達拉斯的景象，就會聯想起甘氏家族相繼死於非難的悲劇。聯想有時很美，但大多「不堪回首話當年」。

古人感情較為清純豐沛，臨別時總是依依不捨，希望離去的伊人如果還記得我穿的綠羅裙，不論到什麼地方，都應該處處愛憐那青綠的芳草。那種「觸目芳草，長憶羅裙」的叮嚀，格外教人心酸。然而，遠離的愛人可能早已忘得一乾二淨，空留夢相思。

很久以前，我應邀回中學的母校去參訪，我走進教務處時候，突然想起最疼愛我的一位數學老師，我當時很崇拜她，覺得她又美，又高不可攀，沒想到，她卻跟丈夫仳離，帶著一個女兒到國外遊學而不知所終，我內心很震撼，鬱鬱不樂了一天，想起往事，徒然多了一份惆悵。

聯想是件好事，但最好能多想起健康的、快樂的事情，人生本來就苦多於樂，又何必去回憶那樣多「網不住，也抓不回」的片段回憶。

聯想屬於記憶術的一個重要環節，聯想太多會使人腦筋疲於奔命，不得安寧。有人說「健忘的人，多是有福的人」，一代巨星英格麗褒曼（Ingrid Bergman）留下傳誦千秋的名言：「快樂之道在於身體健康，記性不佳」，這句話真是人生體驗過後的最平實真理，人一方面要「身體健康」，另一方面要「記性不佳」，因為記性好的人一定很痛苦，他想東想西，想前想後，簡直身邊沒有一件是稱心愉快的事情，只有健忘的人，才容易淡忘怨恨。美國紅十字會創始人克莉拉•巴頓（Clara Barton）因朋友虧欠她，她就下定決心「忘掉這件事」，對方知道後，感動得無地自容。我終於發現，愛不是以暴易暴，而是用心療傷。

深情比醋酸

不是花開偏怨早，
總為早開先謝。

——鄭板橋

鄭板橋是一個全才的才子，詩、書、畫堪稱三絕，天性純厚，崇尚自然。他這兩句話是感嘆花開太早，也會謝得很快，就如同情竇初開的少女，轉眼就「春去也」，當美人遲暮遭人遺棄時，難免獨留一份憂傷的淒楚。當然他也想借題點醒繁華轉眼成空的景象，到時傷心亦屬多餘。人生原有許許多多綺情甜夢，但若不善加珍惜，還不是「春至人偏老」，一切都將失落得空空的。

女人情多，一生為情所牽，為情所困，為情所惱，有朝心靈受到創傷時，就有傷痕累累的心結。電視上有一位母親坦述她的女兒，因為誤會相交八年的男友移情別戀，三天後突然跳樓自殺，她死了，算是一了百了，但這份情債幾乎逼瘋了母親，這是人子應有的表現嗎？嚴格說，她把愛情看得太偉大，而把生命看得太沒有價值。我一向反對自殺，我認為自殺是很不負責任的態度，她把悲傷帶走，卻把痛苦留給親人，完全違反「人道精神」。

女人感情最美，也最脆弱，熱戀時候，深情比酒濃；失戀時候，深情比醋酸；但偏偏失戀機率比熱戀機率高，不是男人蓄意遺棄女人，而是男人缺乏一份專情的執著，他沒有得到時候，比誰都癡狂，得到之後，也比誰都厭倦，他有很多事情要想、要做，愛情真的只是他生命中的部份，所以，女人不能太癡，癡不得，癡過了頭，難免會死得很難看。

我剛剛懂事時候，恰巧多次目睹母貓跟公貓在瓦頂上調情嘶吼的鏡頭，牠們兩情相悅交尾後，公貓會蹲在瓦頂上優游自在舐撥鬚毛，母貓則痛得柔腸寸斷般從瓦頂滾落地面。這時我有太多憐惜，怨嘆造物者的不公。長大後，才知道世上本來就沒有絕對公平的事情，雌性動物都得懷孕生育，說是天職，也是一種沉重的負擔。女人要深諳保護自己的道理，不要上了當，還要賠上性命，那就太划不來。男人不是個個無情，可惜多情的往往又像「散財童子」，十分浪漫，成了「女性殺手」。

女人最怕「春去花枝老」，再美的女人，一老就如柳花飛絮，抖不盡滿懷的羞屈鬱悒，萬一身旁男人又如粉蝶游蜂一樣飛到牆下去，那豈不是苦了下半輩子淒單的歲月。吃醋、怨恨、嫉妒，都是沒有用的。女人要汲取智慧，帶著微笑，堅定成長，不要讓快樂擦身而過。

撫平心靈的愁緒

燕子不來花又落，
一庭風雨自黃昏。
——趙孟頫

春天是那樣嫵媚，在過分動人的季節，想起悲涼的事情，有時會顯得格外愴楚。當可愛的燕子不再歸來，只見花兒又一朵一朵的飄落，風吹雨打，滿庭滿院的風和雨，眼睜睜看著春景又走向黃昏的盡頭，無邊的思念怎能不湧上心頭。人，人是多情種子，滿腦滿腔的愁緒，一波緊接一波，在狂風驟雨中，散落滿地的寂寞。

現代人都很憂鬱，一位女藝人曾經割腕自殺獲救，後來又不慎在凌晨開車時撞上路邊護欄，車頭全毀，幸人無恙，大概是心緒不寧，十分鬱卒所致。紅星周潤發妻子陳薈蓮在接受香港媒體專訪時透露，周潤發幾年前亦深受憂鬱症所苦，當時一周甚至有三度入院的紀錄，而她在重大壓力下，亦有心悸失眠的症狀出現，現在雖已康復，但想起那段日子，依然心有餘悸。可見許多人都患了憂鬱症，處理不當，就會惹出大禍，看起來很健康的人，可能就有許多想像不到的煩惱，煩惱太多的人，就是危險的警訊開始。聖經說：「我們四面被擠壓，卻不被壓傷」，人必須充滿信心，不要被憂鬱症纏得喘不過氣來，愛默森（R. W. Emerson）這樣寫道：「只有你自己，任何東西都無法給你帶來平靜」，尤其心理受創傷的人，醫生有時都救不了，全靠你自己，你自己就是最好的心理醫生。

我們常常有一種錯誤的觀念，以為生活順利的人，從來不知道憂愁的滋味，事實並非如此，他可能心理憂愁更多，甚至更大，只是裝若無事而已，當感情崩潰時候，情況就一發難以收拾。煩惱會使人亂了方寸，一定要等「濃霧消散，看得清楚了再動」，蠻動、蠢動、衝動，都解決不了問題，我們要踏實走過冰冷的街頭，我們才有豪膽接受瘟神的挑戰，別把自己困死，要跳出困境，方能撥雲見月，到時明月照我心，心清意明，一切恢復舊觀。

李白形容「白髮三千丈，離愁似個長」，事實上，除離愁之外，其他愛愁、情愁、心愁、錢愁、事業愁、婚嫁愁，太多太多的愁，都像滿頭接連起來的白髮三千丈一樣的長，假如不能把它撫平，就是「自作孽」，不能原諒的。

心中的天秤

千古艱難唯一死
傷心豈獨息夫人
——鄧漢儀

這位明末清初文人，為息夫人做翻案文章。息夫人為春秋時息侯的夫人，名叫息媯。楚文王滅息後，納於後宮。封建時代，烈女不事二夫，後人對息夫人再事楚王一事，爭議不休。就像王安石為「明妃曲」一樣替王昭君表達出不同的感情，其中有兩句：「漢思自淺胡恩深，人生樂在相知心」，很委婉道出昭君內心轉折過程中對塞外大漠的依戀，這種大不敬文字難免要掀起一場軒然大波，幾乎釀成可怕的文字獄，可見做翻案文章要冒很大風險。

詩人桑德堡（C. Sandburg）說過：「一棵樹在它倒下來時最好衡量」，但事實未必盡然。息夫人是不是貞烈？王昭君是不是幸福？我們根本無從知悉，充其量只是「想當然而已」。

尤其是息夫人被楚王幽禁深宮，可能想死都找不到機會，只好忍辱苟生來懲罰其內心的哀痛。實際上，沒有人能知道她真正在想些什麼，每個人從不同角度去鑑賞或估量一樁事物，往往會「遠近高低各不同」，容易出現雙重標準，乃至跌差懸殊的評價。

幾年前，SARS 疫情肆虐台灣時，使台灣在一夕之間變成「危險感染地帶」。台北市和平醫院封院後，有人批評當時市長馬英九處置過當；有人稱讚馬英九勇於負責。同樣的，對於醫院內醫護人員抗爭行動，有人大加撻伐，認為缺乏職業道德；有人則深表同情，認為突然遭到長期隔離，生活頓失規律，任誰情緒都會發生變化。究竟我們應該從什麼角度和立場去探討這些問題，大概答案會有很大差距。我以為，要用冷靜、持平、客觀，不加任何色彩去看待它，那種心態才會落實、公正、理性，而有公義的思考定力。

我們苛求別人，應該先苛求自己；就像我們要愛自己，先去愛別人一樣。我們要學習包容與寬恕，學習忍讓和謙沖，刻毒地批評敵人，含蓄地諷刺對手，對事情都產生不了良好效果。你把別人拍賣得一無是處，或許你正犯了跟別人同樣的毛病，我們不能天生去製造敵人，應該平息心中的怒火，化成一陣春風，吹得大家心頭舒舒暢暢，服服貼貼。

讓路的會覺路闊，蒙恩的會感恩深；不要先抱有成見再去衡量輕重，不能先存有私心再去判定高低。一個人心中的天秤，一定要禁得起考驗，而且四平八穩。

孝思

人生百行無如孝
此志眷眷慕古人
——狄仁傑

狄仁傑是一代名臣，孝心從不後人，一生倡導孝道，侍奉雙親無微不至，在字裡行間表露無遺。他認為人生百行，以孝為先，由於抱持著這種心志，故對古時的孝子特別的敬慕。在這行詩的前面是「美味調羹呈玉筍，佳餚入饌鱠冰鱗」，意指身為人子的人，要盡心盡力地烹煮美味的湯，可口的竹筍，再把寒冬的魚細切膾為香鮮的好菜，供父母進食。這樣孝子，在狄仁傑時代已屬難能可貴，現在更是鳳毛麟角了。

當前社會道德淪喪，倫理崩盤，兒子可以打父親，女兒可以告母親，為了祖產，鬧得手足翻臉，姐妹成仇，誰好像都沒有義務奉養父母，大家學做外國人，把老邁父母送進養老院，像了結一樁心願，當然，現在養老院設備多很完善，子女沒有時間照顧父母，老年人又比較嘮叨也是事實，送進養老院不是一件壞事，只是做子女的必須考慮到父母的感受，除非萬不得已，似乎可以作更妥善的安置。

孝思也是一種感恩的表現，鄒陽說：「里名勝母，曾子不入」，曾子為孔門中有名孝子，深具孝心，力踐孝道，白居易形容慈烏為鳥中的曾子。像曾子這樣孝子，世上難有，我們不能太苛求，自己都做不到，又怎能苛求別人呢？不過，盡心去孝順父母，是一種本份，也是一種責任，必須是發自內心的誠意，以及毫無畏縮的篤敬。

父母給子女的愛是無怨無悔的奉獻，他們可以自己不吃、不喝、不睡，總要給子女一個溫暖的家，有「如一盞深燈，燃著銀河之光」，他們給子女的是深厚濃郁的感情，子女能不存一點回饋的心意嗎？明太祖時，有一位周姓知府犯了法要處死刑，十六歲的兒子周琬，一再要求替父親受刑，明太祖疑是有人教他這樣做，經過了多次試驗，發覺他視死如歸，毫無畏色，終於免了他們父子死刑，並親題「孝子周琬」四字嘉勉他，一時傳為佳話，孝重真誠，可以「感天地，泣鬼神」。

狄仁傑好像怕孝道失傳，才寫這首詩來自勉，當我們讀這首詩的時候，不僅要深思，而且要效法，鼓勵自己做一個現代的孝子，不是二十四孝中那種「愚孝」，要孝得真，孝得美，孝得恰到好處，恰如其分。

心心交契

相看兩不厭
唯有敬亭山
——李白

詩仙李白，豪情萬丈，文才八斗，其文思真如「黃河之水天上來」一樣奔流不息，不僅具備「筆落驚風雨，詩成泣鬼神」的氣勢，而且潛藏著「氣蒸雲夢澤，波撼岳陽城」的威力。不過，他一生並不真正快樂，僅僅是落拓天涯，斯人獨憔悴而已。

我覺得他寫這首詩，是感觸很深才寫的，他一覺醒來，看到鳥兒遠飛，白雲散去，唯獨是那座敬亭山，跟他朝朝暮暮地相看不厭。此時他已遠離塵囂，悠然忘返，對於庸俗世態已不屑一顧，心中格外珍惜擁有的那些思念。

我認為這首詩，與其說是對塵俗的厭倦，不如說是對至親好友的懷思，男女感情靠緣份，知己感情也是靠緣份。李白知己不是杜甫，也不是王維，可能是汪倫，至少汪倫是其中的一個，因為「桃花潭水深千尺，不及汪倫送我情」。我想，每一個人活在世上，都會交到一、二個可以談心的朋友，而且這少數朋友，在你無助時候，在你悲傷時候，在你潦倒、凄寂、徬徨、孤單時候，可能是最能給你鼓舞力量的人。民國九八年同時考取軍校的雷家佳和張穎華，家境都比較貧寒，但張穎華比雷家佳更需要就讀軍校，雷家佳經過多天的思慮掙扎，決定將僅有的一個名額讓給張穎華，這個舉動贏得社會極大的讚佩。她們相互憐惜，相互體諒，相互關懷，把一樁沒有新聞價值的新聞，變得很有新聞意義的新聞，她們由「相看兩不厭」而衍生出難能可貴的情誼，比起那些「相看兩討厭」的怨偶，要感人太多。

人與人相處，最重要是要替對方著想，想得越真誠，感動得也越深沉。有一對因參加「非常男女」電視紅娘節目而結成連理的馬工程師和王女老師，結婚不到半年，馬某就存心遺棄她，因為王女罹患乳癌，結果鬧得滿城風雨，比相親時還要轟動。可是，另外有一對男女李愛華和林水上，相隔十七年，只因林水上有過失敗的婚姻，不想再受約束，一再拒絕李愛華的求婚，直到最近林水上已到癌症末期，躺在床上奄奄一息時，眼看李愛華不辭辛勞的伺侯湯藥，終於頑石點頭，允諾在床旁宣布結為夫妻。以上兩對恩怨情夫的男女，可說是「相看兩不厭」和「相看兩討厭」的最好寫照。美國牧師雷利（Dr. R、Roy）替新婚夫婦證婚時，都只說一句短簡的勸勉：「從今開始，兩個人不要同時生氣了」，夫婦偶爾頂嘴在所難免，但整天爭吵不休，就教人難以消受。

風雨相催點點愁

十年一覺揚州夢
贏得青樓薄倖名
——杜牧

朋友的孩子得了愛滋病，父母很憐惜他，也救不了他的性命；親友很同情他，卻開始疏遠他。年紀輕輕的，就過著隱遁孤寂的生活，他害怕小小的世界越變越小，在他眼裡，星月不再為他發光，花草不再為他吐艷，只有嗚咽的淡水河止不住的傾訴他內心的哀戚。

是誰害了他，讓他染上這種世紀黑死病，大概是激情世界太過狂野，男女性行為出現了脫軌的荒謬，每一個人都可以隨心所欲的追逐肉慾的享受，但他們忘記了饞食後身體受創的煎熬，這種咎由自取的懲處是現代人的現世報，怨誰都沒有用的。

法國作家的「O孃的故事」和西班牙作家的「露露」，是徹徹底底開放的情色小說，其大膽描述超過A片的情節，當年輕人接觸到這類書籍時，怎能不讓他想入非非，甚至進行衝動的嘗試，這些書都非常暢銷，而且得到名家的褒獎，結果給社會帶來慘痛災難和不良示範。

最近，美國兩名A片演員被篩檢出感染愛滋病毒，至少有四十五名男女演員曾與這兩人發生錯綜複雜的關係，而且證實另一女演員也呈陽性反應，這可怕訊息逼使A片電影公司只得停拍二個月。公司原先要求演員使用保險套，這些演員顯然為了刺激而忽略了戴上保險套而中鏢，其實防治愛滋的唯一途徑就是避免不安全的性行為，可見一個人絕不能因一時痛快而斷送了一生的幸福或性命。

杜牧在揚州沉迷遊樂了十年，一覺醒來才發現十年功夫，只不過贏得青樓女子送給他「薄倖無情」的名聲罷了。他很悔恨自己的荒唐，荒唐的結果，徒然使自己有很多的迷失而已，他在責怪自己，也在提醒世人，對現在年輕朋友是一個很好的警惕。

這個社會誘惑力太強，許多涉世未深的人，只要嘗了癮頭，就很難自拔，不是他自甘墮落，而是他無法將自己從慾海中掙脫出來。色字頭上一把刀，可是當這把刀沒有把他割痛之前，他都是執迷不醒的，在他身邊的長輩，一定要在他沒有沉下去之前把他拉出來，不要等他滅頂了，還佇立江邊為他悲泣。

我們要淨化這個社會，每個人都必須從本身做起，不去碰觸色情，不去倡導色情，不去散播色情，只要每一個人都能守住本份，這個社會就能脫胎換骨，煥然一新。風流不算下流，但風流與下流很難分出醒眼的界線，我認為，不管風流或下流，得到性病，就統統不入「流」。

大江怨東去

少年把酒逢春色
今日逢春頭已白
——歐陽修

歐陽修好友謝伯初，曾任河南許州法曹，當歐陽修貶官來陵時，伯初寄詩安慰他，他才回詩表達內心的蒼涼，意思是說，年輕時遇到如此美好的春天，把酒言歡，樂不可支，而今雖然春色依舊，卻只能白頭相對，無語問蒼天了。在字裡行間，有太多的感傷。

這時候，我彷彿聽到有人在低低哼唱：「時光一逝永不回，往事只堪回味……」，真的，時間過得太快，遙想當年天寶年間名噪一時的宮廷樂工李龜年，安史亂後，竟淪落在江南酒館裡重操舊業，那幅「頭白江南一尊酒，無人知是李龜年」的景象，道盡了人生起起伏伏的無常。

人的一生，風雨相催，飄零漸遠，如大江東去，再也不會回頭。杜牧寫得真好：「公道世間唯白髮，貴人頭上不曾饒」，我發現，人老了，頭上一定白茫茫一片，現在人都很長壽，個個都變成白頭翁，面對蒼白茫茫頭髮，你能不服老嗎？其實，人老沒有關係，只怕你一生都沒有半點值得回味的事情。眼看著「百歲光陰一夢蝶，重回首往事堪嗟」的境況，就會覺得自己對不起自己，過往時光如同夢中蝴蝶一般飛得無踪無影，留下來的只是無邊的惆悵、孤寂、甚至理不清的酸楚。

早知人生這樣短促，為什麼不能在少壯時多加珍惜呢？現在年輕人，大部分是吃好的，穿好的，還不見得孝順父母，假如老了，連父母那種成就都做不到，那不是良心難安嗎？很久以前，電視連續劇「流氓教授」，是一部寫實故事，敘述一位教授，年輕時荒唐生活，殺過人，坐過牢，終於大徹大悟，走出監獄，考進大學，站上講台，變成一個很受歡迎的飽學之士；猶如「周處除三害」一樣，為自己譜下一首完美的篇章。也許有一天他老了，他可以告訴他的子孫，他為他們樹立了良好的典範，總算不虛此生。詩人說：「每天的啓悟引導我們去珍惜一切事物。今天，新的太陽已經昇起。」當新太陽昇起時候，我們不去急起奮鬥，當太陽下山時候，我們又能留住什麼？

我常常沈湎在追思的往事裡，我很慚愧，年輕時不懂去安排自己燦美時光。現在我願意將我的後悔去告誡我的下一代：最美的詩要寫在思想裡，最好的成就要表現在行動上。

負我千行淚

自古佳人多命薄
閉門春盡楊花落

——蘇軾

自古男人多風流，不是亂啃「窩邊草」，就是濫採「路旁花」，一朝當了官，早也開會，晚也餐聚，只留娘子空閨獨守，良人不良，徒呼奈何，難怪會「悔教夫婿覓封侯」。

男女很難絕對平等，在感情方面就是很好例子。男人在外拈花惹草，美其名為「多情風流」；女人在外應酬交際，就罵她「不守婦道」。現在雖然講求男女平權，但女性還是受到某種程度的約束，有時丈夫在外亂搞婚外情，妻子還得曲盡包容的能事，聲淚俱下地為自己丈夫背書，保證他是如何的愛家、愛子、愛事業，完全是一個品格高尚的絕世紳士，那種「但見淚痕濕，不知心恨誰」的神情，真是「我見猶憐」。這些高貴的賢婦，為了保全夫君名節，衝鋒陷陣，烈火焚身都不怕，直教人「心有戚戚焉」。

北宋「三蘇」，蘇東坡是頂尖才子，風流韻事也不少。他深知男人太風流，女人多命苦，何況天妒紅顏，一世坎坷，只能關起門兒，任年華老去，像落花一般凋零。男人負心，女人多情，永遠有理不清的恩怨，縱使結為夫婦，還是有數不完的情債。不過，衡情論理，男人總是虧欠的比較多。

男人熱中名利，不幸——有了錢，有了地位，就容易變成最不可靠的薄倖郎。有地位的男人，女人會主動「投懷送抱任君憐」；有錢的男人，喜歡在外「閒逐東風上下飛」。在這高度開放的社會裡，男人沒有道德觀念，女人缺乏正確理念，結婚太累贅，同居正盛行，離婚率高得驚人，上午剛結婚的男女，下午就可能說聲「拜拜」，大家都把婚姻視同兒戲，使倫理崩盤，親情鬆散，社會制度瀕臨瓦解的危機，這著實值得警惕與防範。

我是現代化社會中保守派男人，我堅決反對愛情太盲目，婚姻太草率，離婚太衝動，男女關係太複雜。一個成功的妻子，不是幫丈夫「闢謠」，而是讓丈夫無謠可闢；一對成熟的情侶，不是幫對方圓謊，而是讓對方無謊可圓。

愛一個人，不要糟蹋她的感情，不管是情侶還是伴侶，都有責任和義務，信守諾言，誠心呵護。人生的路，看似很長，也是很短，聚一起就是緣份，應該結善緣，安好心，用自己的愛換取對方的愛，把兩者的愛串在一起，結成同心圓，不要負人，也不要人負我，在默默的旅途上，伸出柔柔的手，扶持走天涯。

求名求利求心安

身外虛名將底用，
古來已錯今尤錯。

——元好問

這位金元之間的詩詞巨擘，少年時就已名滿天下，做過金朝的官，金亡後就退隱不仕，眼看江山憔悴，人也憔悴，昔日榮華富貴的人都凋零殆盡，其內心鬱卒可想而知。他在亂世環境中，體認到人生更高層次的價值，我同情他的際遇，但並不完全同意他的看法。

身外虛名有沒有用，似乎很耐人尋味，很多人都是受盡挫折後，才會有「今是而昔非」的感覺，元好問何嘗不是如此？大家都說「求名當求萬世名，計利當計天下利」，可是這個境界太高，一般人都做不到，喊喊口號是可以的，如果把它當真的，簡直是強人所難，與其亂唱高調，不如平實的好。有人形容江邊的兩艘船，一來一往，一是求名，一是求利，大家都汲汲營營地求取名利，這倒是切乎實際的狀況。

元好問在那個年代，就已發現「古來已錯今尤錯」，證諸今天社會，依然歷歷不爽。君不見，許多退休政壇元老死抱政權絕不鬆手，表面上都是為天下蒼生犧牲奉獻，實際上他內心可能另有其他盤算，冷靜推敲，還不是為一個「虛名」弄得心力交瘁。

不過，求名求利，只要求得心安理得又有什麼不可？我記得，在覺世副刊寫稿時，蔡主編與我談及稿費的問題，我很率真告訴她，我要稿費，多寡不拘，但一定要稿費。我覺得文人寫稿，就是獲取微薄稿酬，多少可以補貼家用或購用書籍，這種「合情合理」的賺錢術，何須忌諱。我個人一向主張實話實說，不必偽裝，也無須矯飾，勇敢說出心中的話。

名有大名小名，利有厚利薄利，大小厚薄雖然不同，但其意義卻是一樣。求名求利的人，絕對不能出賣自己尊嚴和人格，香港有位蘇姓女記者，謊稱遭泰警輪暴，目的是想出名，結果是自取其辱；十年前搶劫左營軍區土銀收付處的齊智，不擇手段的求利，最後是自尋滅亡；像這樣求名求利，不是自我毀掉一生幸福嗎？

更抱佳人「吻」幾回

瀋陽已陷休回顧
更抱佳人舞幾回
——馬君武

我有散步習慣，每晚路經那條大街右側時，常看到一對瘦小男女纏在一塊激吻，旁若無人，狀至狂野。這些七年生走在前衛尖端，享受自由自在生活，只是國內民俗還是比較保守，這種誇張的煽情動作，恐怕還是無法獲得普遍的認同。

這些年輕人，站在大街上，吻了又吻，停了再吻，使我想起九一八事變時，傳聞當時瀋陽已經失守，東北少帥還摟抱著紅星蝴蝶在舞池中翩翩起舞，才子馬君武寫詩譏諷道：「瀋陽已陷休回顧，更抱佳人舞幾回」，如果把其中文字改為「行人側目休回顧，更抱佳人吻幾回」也頗為傳神。男女心中有愛，似乎容易曝露「忘我」情景，但也不必在眾目睽睽下演出肆無忌憚的鏡頭。

我不反對男女情侶當街有較親暱行為，但倘若當作私人臥室就顯得有點誇張，不但礙眼，而且會對其他年輕人產生不良示範，再說，好時候「你儂我儂」，分手時候又跟別的情人「死纏難纏」，對一個女性來說，已構成一種傷害，太熱情不是不好，至少要顧及女性尊嚴與矜持，青春不要留白，並不意味非這樣不可。社會上每一個人如果都裝滿「只要我高興，沒有什麼不可以」觀念，人會變得更自私、更任性、更貪婪、更目無法紀。

現在年輕人平均智商都比較高，吸收知識能力也比較強，他們敢衝，也敢冒險，這是很好的進取精神，可惜往往因為衝得太猛，衝過一頭，等到要剎車時，已經早已粉身碎骨。

街頭狂吻，或者是受到電視接吻比賽的鼓勵作用，就像裸體報導新聞一樣，現在還無法全面流行，畢竟人還有一點羞恥之心，等到有一天全球主播都是光溜溜在銀幕上亮相，這時為了配合實際環境需要，說不定所有觀眾也得一絲不掛的相呼應，到時大家袒裎相見，人類大概又回歸到原始的社會，那不是進步，而是徹徹底底的退化，物極必反，盛極必衰，太大膽作風就是太幼稚表現，凡事還是含蓄比較有美感。你看歌德詩句：

「平靜已遍灑至所有的山巔，你將不能覺察到樹頂上的輕風」。

多靜、多含蓄、多扣人心弦。

風雲再起

虎嘯而風冽
龍興而致雲
——王褒

前些日子，公營行庫公開招考四六六名行員，竟然有多達一萬六千多名高學歷者應徵，一時擠破了頭。但在另一方面，當時有位高官堅決求去，無意繼續擔任公職，一時找不到合適人選。這充分說明，國內就業市場出現嚴重失調現象，既是一缺難求，又是一才難覓，政府左支右絀，顯得有點力不從心感覺。

當前失業問題面臨重大挑戰，失業率居高不下，但重要職缺卻找不到適當人才。王褒在「聖主得賢臣頌」一文中指出，虎一叫就會掀起一陣疾風，龍一飛就會形成一片雲。意思是說所有同類事物都會互相呼應，有明君才有良相，有聖人才有盛事。因此「君人者勤於求賢，而逸於得人」，他主張為人君的，應努力發掘賢才，一旦得到有才幹的人，就應好好對待他，重用他。也許這些話，近乎陳腔濫調，已沒有太大實用價值，不過，我個人則認為，一個國家領袖人物，一定要用心去發掘人才，用誠去善待人才，而不是用詐術或騙術來治理國事。一個有作為的人，他會進退有據，來去自如，不為利害所蒙蔽，不為榮辱所屈服，所謂「良禽擇木而棲」，凡是有為有守的君子，他可以甘於寂寞，也可以甘於貧困，他不會跟著一群牛羊，過著逐草競花的日子。

民主政治不是酬庸政治，萬萬不要變成「善善不能用，惡惡不能去」格局，用三流人才去佔一流職缺，濫竽充數，氾濫成災。假如我現在是總統，我一定開誠佈公的重用四面八方的人才，不分黨派，不論族群，不計恩怨，只要是品格高尚的人才，我一定一視同仁，量才拔擢，蔚為國用。畢竟一個人擔任總統時間有限，但國家命脈是無盡的，倘若我不能把眼光看得很遠，歷史將不會有我一席之地。這正是樂毅對燕王所說「功業建立起來了就不會廢棄」的註腳。

我深信，每一個國民都熱愛自己的國家，只是愛的方式和做法不同而已，不要存有懷疑的心結，大家要彼此信任，才能在荒蕪的心田裡開出嫩綠的花卉。我們要趕走胸口的毒蛇，用寬宏大量去包容四周擁來的仇恨。請注意，權威和榮耀，永遠追隨在智慧的旁邊，有智慧的人，就該深諳惜才、用才、留才的秘訣。

哭泣的心靈

易求無價寶難得有情郎

——魚玄機

才女魚玄機，十八歲就嫁給李億為妾，因不能見容於大房，逐漸遭李億冷落，玄機就借詩表白對李億無情的怨恨，並以「枕上潛垂淚，花間暗斷腸」來發洩悲楚的沈鬱。她一生雖在歡場中浮沈，但後世仍同情她飄零的身世。

娼妓可以從良，任何人都有重生的願景。

板橋曾經有位黃姓國小女老師駕車撞死移情別戀的男友事件，全校師生都感極度難過，為她流下許多同情和叫屈的淚水。她的衝動行為不值鼓勵，可是她為愛情付出的昂貴代價，卻不能不叫人為她扼腕嘆息。她是做錯了事，從認識死者開始，她就一步一步邁向危機四伏的陷阱，她被愛情沖昏了頭，滿眼是情，滿心是愛，假如再冷靜一下，再理性一點，就不至於鬮下這樣恨海彌天的大罪。我相信她真的原先只想嚇嚇對方，沒料到，假戲真做，失誤的踏板終結了半生的無奈。

愛情太盲目，太炫惑，也太難以掌控，年輕人應該為愛而生，萬萬別為愛而死。失敗的愛情，往往只有三個結局：一為毀己，二為殺人，三為同歸於盡，三者都是悲劇一場。好夢易醒，多情餘恨，不能自拔的人，最最愚笨。我們知道，萬事萬物都因「緣」而生滅，生死隨緣，情愛豈能不隨緣。隨著緣起緣滅的牽連，本來就是「多情不及天邊月」，我們要看破人性，悟透人生，才能心清性純，遠離無端的橫禍。佛經啓示信眾：「渡過生死之河，要以『戒』為竹筏」，我們不怕跌倒，只怕不能時時刻刻以戒慎自律定性越過寬曲的迷途。孟德斯鳩（Montesqoien）認為「人在悲哀中才是人」，悲哀是一種撞擊，是一種警示，也是一種覺醒，人要有足夠的勇氣，去承擔失敗的風險，那怕天崩，地塌，找不到容身之所。當你熬過了片刻，就能熬過長長久久的歲月。

受傷的心靈，很苦，像流著眼淚吃芥末一樣慘烈。或許你有一份沮喪和羞辱的感覺，瀰漫著幽怨蒼茫的情緒，在孤獨的深淵裡切斷積極衝創的意志，這種悲情的沈默會變成更大的內傷，你必須堅毅地走出這個心理牢房，再創幸福的生機。

英雄不死

漢軍已略地
四面楚歌聲
——虞姬

楚霸王項羽在垓下一役中，兵敗如山倒，因而自刎烏江，後世人批評他缺乏遠見與鬥志。我覺得評語並不公平，絕代美人虞姬那樣深愛項羽，一定有他過人之處，自古「成者為王，敗者為寇」，項羽只是「宿命論者」，才有「天亡我也」的喟嘆。

我一向反對自殺，但項羽在那樣情況下，可能非自殺不可，萬一被敵方俘虜，也許下場更慘，死不尊嚴。項羽失敗性格不可原諒，他剛愎自用，有勇無謀，辜負了虞美人終身託付，死時還為悲歌一曲：「漢軍已略地，四面楚歌聲，大王意氣盡，賤妾何偷生！」這對夫婦死得壯烈，也很悲慘，不是常人所能做到的。

死，有重如泰山，有輕似鴻毛。項羽的死固不足道，因為劉邦已做了皇帝，誰還記得項羽也曾經有過叱咤風雲的戰功，死並不容易，我們也不能容易的死去，我們要在迷悟之間，作最好的抉擇，佛經啓示信眾：「芭蕉和竹子若結果實，葉子就要毀損凋零；驢馬產子之後就得死亡。」死亡並不稀罕，要有犧牲的心理準備，對別人有益，對社會有功，死亡才是最大功德。

項羽圍困垓下時，如果虞姬不死，項羽不死，而能突圍而出，另創一番事業，歷史上對項羽評價必定完全改觀，把項羽神化，使項羽成為不可一世的偉大人物，項羽什麼都努力了，只是「功虧一簣」，年輕朋友必須記取項羽失敗的教訓，不是自殺就能解決一切，自殺是弱者護身符，卻是社會不屑一顧的奚落對象。人要有鬥志、信心、勇氣和不折不撓的精神，才能贏得別人的掌聲和尊敬。

國人多很崇拜，特別崇拜美國佬，其實，美國佬崇拜英雄，在他們腦裡，成功就是英雄。作家蒙塔（A. Montagu）形容美國人「盲從、機靈、激動。他們像打開盒蓋就要跳動的玩具，到處亂跳」，形容得入木三分，我們如果完全學美式作風，不但失真，還會變成三不像的怪物。所以，我們不能學項羽自己結束生命的笨法，要有正確觀念，表現出正確的行為。

天地聾啞心獨痛

歌聲入夜華燈暖
不信人間有餓夫
——申涵光

巴拉圭首都亞松森郊區 Yeua Bolanos 購物中心爆發大火，造成兩百九十六人喪生以及數百人重輕傷慘劇。目擊者指控，大火發生時商家為防範消費者「趁火打劫」，竟蓄意關閉大門，斷人生路，這實在是可惡且可恥行為。想當年孔子馬房失火時，第一時間不是問馬房燒的情況，而是關心馬有沒有受傷。可見人只要心中有愛，潛意識裡就有慈悲善念，如果只為自己財富不顧別人死活，那有再多財產又怎能修護內心的軟弱。

清朝詩人申涵光這首詩是描繪一幅春荒的悲涼景象，詩中運用鮮明對比的手法，先寫連續不斷的水旱災給人民帶來艱辛的痛苦，再寫豪富人家放蕩奢靡的生活，把貧富懸殊的不合理現象揭露無遺。這根本就是現在社會最好寫照，看後會使人產生強烈的情緒反應，覺得這個世界為什麼這樣不公平，人類聾啞，難道天地也聾啞了嗎？真如黎簡所形容：「北風入夜吹破屋，上有明月照人哭」的憤慨，公義、真理、良知又在那裡，我們不能讓窮人永遠活在「非人社會」裡。人就是人，應該給他高貴的尊嚴，給他充沛的信心，幫助他活出生命綠意和生活情趣。

申涵光描述有錢人在華燈的暖屋尋歡作樂，入夜還傳出陣陣的歌聲，然而，誰又會相信人世間還有朝不保夕的餓夫。窮人常怨上天不公，但神要掌管太多事情，怎能面面週到呢？實際上一個人怨天怨人，最好先怨自己，因為求神求人，不如求己。求神求人是一時的，求己才能一勞永逸。富人有貧困的一天，窮人也有躋身上流社會的日子。

社會是現實的，富人的一日享受，可能等於窮人一月或一年的開銷。八年前一支由十人組成的臺灣精品貴婦團大把鈔票軋進義大利，住六星級大飯店，吃萬元料理，看一百多克拉藍寶裸石，訂百萬元皮草，陣仗驚人，氣勢磅礴，令人一新耳目。像這樣窮極奢侈的享受，窮人真是羨慕得九竅冒煙，但是光怨「投胎失敗」、「時運不濟」、「老公蹩腳」、「景氣沉淪」都沒有用，一切得靠自己，「努力、奮鬥、救自己」，今天是你天下，安知明天我不是「社會新貴」。

心「官」腦「肥」

羔羊之袍，素絲五紽。
委蛇委蛇，退食自公。
——詩經

詩經三百首，聽過的人很多，看過的人也不少，但力求甚解的人，卻寥寥無幾。

這首詩是用來讚美官吏儉樸的歌。意思是說：「羔羊皮的袍子，素絲五紽縫好。公畢回家吃飯，步履逍逍遙遙」。這種清廉的官，古代已少，現代更少，舉目斯世，貪瀆成風，令人內心尤感沉重。

在全球貪污排行榜中，大陸是名列前茅，台灣亦不甘示弱。這樣敗風喪德的行徑，怎能立足寶島，放眼寰宇，我們應該洗盡這不名譽污點，做一個堂堂正正的新台灣人。

自古以來，很多人都一心想做官，過去是男人的專利品，現在女人也興趣勃勃。清廉的官應該仍屬多數，但動歪腦筋的也比比皆是。和珅是有名大貪官，財產沒收時，竟然是「和珅跌倒，嘉慶吃飽」，這種人也能紅得一輩子，天道何在，教人心寒。嚴嵩父子更是貪婪無厭，伏刑時才發現「堆金積玉，富可敵國」。當前社會，許多人總以清廉自居，標榜自己是「不拿公家一毛錢，完全點滴歸公」，但他下野時，財產竟比原先多出幾十倍，乃至幾百倍，不知道「錢從那裡來」。其實，市井小氏心知肚明，知道這些「肥老」，污了國家不少銅臭錢，他們「口唸經書，心想橫財」，一生專做缺德事，這些「不恥不仁，不畏不義」的傢伙，理應遭到社會的唾棄。

發財，人人都想，有人靠股票發財，有人靠電腦發財，有人靠炸雞發財，有人靠嘴巴發財，有人則靠「大貪特貪」發財。我們不能苛求人人做清官，但至少要人人守份、守紀、守法，盡自己良心，做良心的事。不能一心想做官想得發瘋，滿滿腦裡還擠滿骯髒錢，這樣人就是家財堆積如山，恐怕夜裡也不會睡得安穩。

宣和六年，宋徽宗過著很愜意生活，一時「太平無事，四邊寧靜狼烟杳；國泰民安，謾說堯舜禹湯好」。可是，後來皇帝不像皇帝，大臣不像大臣，老百姓也不像老百姓，才走上亡國之路，這血淋淋歷史教訓值得我們惕悟，政府對於貪官污吏絕不能手軟，曾經一度實施的「貪污處死刑」罰則，效果很好，不妨繼續推行。廉政公署已正式成立，就應該展現傲人的作為。

掌聲響起

天恐文章中道絕
再生賈島在人間
——韓愈

二〇〇四年奧運在雅典舉行，國人原本看好棒球代表隊，沒想到戰績不如預期理想，意外跆拳道贏得二面金牌，棒球國手個個垂頭喪氣，總教頭甫抵國門就住院洗腎，九月一日凱旋式大遊行時，另一名跆拳道女國手竟宣布退休，她心情鬱卒可想而知。獲得金牌女國手，過去曾經有過一段荒唐的日子，但因為成功了，一夜之間變成英雄。我認為，我們對於高高在上的人，不必再去錦上添花，倒是對於失敗落魄的人，應該多給他一點掌聲，成功多少靠點機運，失敗也不完全是他的錯，運動場上多少赫赫有名的健將，而今早已成了「明日黃花」，那些一度失敗的人，不是東山再起，也可能在另一跑道上竄出一片天空。請給周遭失敗者，再一次鼓勵的掌聲。

中唐詩人賈島，曾經連考進士未中，就落髮為僧，名叫無本，後來得到韓愈的推崇，還俗後在長安成為熱門人物，顯然韓愈是賈島的知音人，沒有韓愈的力薦，就可能沒有成名的賈島，賈島說不定永遠只是寺廟裡一個會寫詩文的僧侶，可見鼓勵的力量多麼重要。勝利就是英雄，說起來有點誇張，但卻是歷久不衰，顛撲不破的真理，所以，人必須爭取勝利，不是浪得虛名，而是實至名歸，光榮的生，尊榮的死，永遠活在人們心目中。

每一個成功的人，都經過或多或少的失敗經驗，當他成功時，別人早就給它忘掉，甚至包容了他過去荒唐的生活，成功太重要了，勝利也太重要了，因此我們要學習做韓愈，發掘出更多的賈島。不過，賈島本身具備有他的成功條件，才能「一經品題」就「鯉躍龍門」，「小丑」這首流行曲就道盡「失敗的痛苦，成功的鼓勵」的心路歷程，失敗並不可恥，就怕你沒有攀向成功的毅力，看到別人成功的風光，你為什麼不能得到同樣的風光，這不是你不能，而是你不為，二〇〇八年女子四百公尺跨欄冠軍希臘女選手霍基雅（Fani Hakia），原先並不看好，晉入決賽始卯足全力脫穎而出，自己直呼：「棒極了，沒想到我真的辦到了」。一次失敗不能注定一生，你還有機會，誰能否定你成功的潛力，你要走出心靈幽谷，爭取遲來的榮耀。

刺骨的敵意

酌酒與君君自覺
人情翻覆似波瀾
——王維

嫉妒之心，人人皆有。男人多因名而嫉，女人多因好勝而嫉。兩者出發點略有不同，但好嫉心卻同出一轍。新馬可福音稱嫉妒為「惡意的眼睛」，形容得入木三分，發人深省。

曾經有兩位名主持人，原為閨中好友，沒想到甲主持人突然公開向乙主持人喊話，要求乙主持人要思考自己的政治與媒體角色的分際，應該退出媒體的行列。乙主持人只好馬上交出主持棒，並且表示媒體不是不能有立場，重要的是不要扭曲事實真相，顛倒黑白，讓選民了解媒體的政治立場反而是一種負責任的行為。甲主持人強調自己是對事不對人，堅持媒體人說該要說的話，希望不影響彼此友誼。

事實上，傷害已經造成，友誼也被擊碎，不知誰說過：「在裂痕的感情裡很難找到巧奪天工的修補妙術」，老一代人也常勸人：「處事須留餘地，責善切戒言盡」，儘管是好朋友，規勸對方時，也不能把話說絕，縱然是好意還是不容易被對方接納，所謂「規勸於私室」，很多聽起來不順耳的話，最好在私人的小房間內交談，既能顧全對方情面，又能表示自己心意，切忌暴露別人缺點，來顯揚自己長處，最後不但失去這個朋友，還會失去很多朋友，經書上說：「當謹慎自己的話語，因它是你心靈的聲音。」

詩人王維送別友人裴迪時，告訴他「很久沒和你共杯痛飲，今天請你開懷暢飲」，在飲酒時，他有感地吐露「世上人情變幻之無常有如波浪」，甚至接下去大發牢騷：「白首相知猶按劍」，意思是說「相交一生的好友，到今天仍拔劍相向」，朋友做到這個地步，怎麼不讓人心寒、心冷、心發麻呢？

我們都知道「在外靠朋友」，我喜歡交朋友，可是「相識滿天下，知己能幾人」，相知何其難得，有人是酒肉朋友，飲過酒，喝完湯，就不記得你對他有什麼好處；有人是別有用心，利用完就一腳踢開。世路迷茫，知音難覓，我們真的要好好珍惜友誼，不要因心存嫉意而毀了情義，更不能因心存私慾而出賣知交。趕快撕去你嫉妒面紗和失常心態，好好去體認友情的珍貴，人與人之間有了心結，就會越纏越緊，變成千結萬結，結結難解，好友成仇，實乃人間一大憾事。

幾度高樓映落霞

舊時王謝堂前燕
飛入尋常百姓家
——劉禹錫

在一個有雨的黃昏，我去探望一位老長官，他在國民黨執政時代是「紅丹丹的紅」，現在棲居在靠山腰的樓房裡，顯得有點侷促的淒寂，雨落在地面，也落進他的心坎。他告訴我，他很不喜歡下雨的天，我知道他想進一步告訴我，下雨天讓他想起許多失落的往事，我勸他想開一點，三百六十天，不可能天天是春天，有雨的夏季，未嘗不是給人一種清醒的禪機。

東晉王導和謝安都是炙手可熱的風雲人物，可是這兩家廳堂上的燕子，也都飛進了平常的百姓家裡。沒有人是永遠幸福的，也沒有人是永遠快樂的。許多看似得意的事，骨子裡卻有很多說不出的愁慮。

人不會沒有煩惱，也不會甘於煩惱，但往往受煩惱的羈絆，甩不掉煩惱，被煩惱團團包圍而失去鬥志。法哲佛夫那格（Vauvenargues）認為「絕望並非我們僅有的悲哀，弱點才是我們最大的悲哀」，他又指出：「有的人連一小時都不肯虛度，有的人卻虛度了一生。」我寧願贊成一個人整天繃得緊緊去戰鬥，也不希望因為自己弱點而失去戰鬥勇氣，我想，人最好能衡量自己的實力，勇於接受挑戰，樂於改造命運。

上帝是公平的，不會將所有幸運都交在一個人手上。每一個人都有進場時分，也有退場時刻，上場時候不要太拉風，下場時候就不會太喪氣，畢竟在人生舞台上，進進出出是有依序進行的常規，要看得淡，放得下，生活才會安穩平順。人要「不驚寵辱，不憂得失」，縱使舊時老燕飛到別人屋簷去，也要泰然處之，一笑解千愁。不錯，住慣高樓大廈的人，或許不甘住進破陋的小木屋，但當高樓倒塌時候，小木屋不是住得更安心嗎？要學習高僧慧愷的襟懷：「願與山偕老，寧任松獨蒼」，心放寬一點，生命就會較少缺憾。

順境和逆境是交互進行的，有快樂就有悲哀，有歡笑就有淚水。紅樓夢裡的大觀園，讓我們看到世事滄桑，人生無常的運勢，我們既不能安於現狀，也不宜坐著嘆氣，而是要用行動來營造豐盈的未來。

當雨季再來時候

溪雲初起日沉閣
山雨欲來風滿樓
——唐・許軍

雨絲飄過我的臉頰，寒風吹得我搖搖欲墜，我心裡在想，當明天天色微明時分，風雨是否還會依然猖狂。

風雨有時來得正是時候，讓不開的花瓣都伸出脖子。在雨中談心的人，分外有一股舒貼的輕盈；在風中彈琴的人，意外有一份沉醉的輕狂。有人討厭風雨，把太陽捧得高高的，安知風雨過後的陽光才會柔得舒筋活骨。

這是一個萬馬奔競的時代，我不幸生在這個時代，又何幸生在這個時代，因為這是最美時代，也是最醜時代，大夥猶如一群野蠻人在騷亂的眩惑中恣情的狂歡，忘掉今宵，那記得明朝？放眼四顧，全球莫不浸沉在抑鬱頹廢的氛圍裡，矇矇矓矓看不清真正面貌，風雨過後可能會靄陽普照，但，慈暉褪隱後誰又知道會發生什麼意外變故，縱使是江湖術士也多止於「預感的靈驗」而已，幾曾想過，在許渾那個年代早就很清楚的寫了出來。許渾很細心觀察自然的徵兆，發現傍晚時分，紅日西沉，漸漸淹沒了慈福寺的臺閣，溪上適時湧起堆堆烏雲，驀地捲來一片狂風，這時正是山雨快要來臨前的警示，後人多用來描述某種巨變前的現象。

臺灣此刻有風有雨，人民心裡風雨更多更大，大家不知道明天會發生什麼重大事故，心中被壓縮得有些窒息的驚悸，每個人都匆忙地走過你的身邊，你不曉得他在忙些什麼，或許忙著應徵工作，或許忙著籌錢繳學費，或許忙著調頭寸，或許、或許忙著動歪腦筋，走旁門邪道，這些眾生相的鮮明基礎，道盡了社會辛酸的蒼涼，誰還能安享寧祥的日子？有些時候越擔心發生事情，偏偏事情就接踵而至。貪腐案、兇殺案、姦淫案、劫掠案、一樁又一樁爆發，任誰都沒有安全的保障。

動物多對天運地轉有著高度敏感性，當蝗蟲密集竄飛天籟時，預兆將有天災；當螞蟻傾巢遷徙異地時，預兆將有地震；當兩軍對峙時，營帳前旌旗突然折斷，也往往是不祥的前奏。大家都有經驗，下雨之前多有烏雲，打雷之前多有閃電，這些自然的記號（Signal）均存在自然現象的秩序之中，因此防災解厄，要多做事前心理準備。像摩西獨自爬上西奈山頂，聆聽上帝聲音，在一株菩提樹下打坐，克制各種惡毒內魔的試煉，才能修成開悟的佛陀。當雨季再來時候，說不定給我們捎來幾許浪漫的情趣，詩人喜歡在雨中散步，畫家喜歡在雪中賞景，有自信的人不會輕易向惡劣天候屈服。

心到美時人就美

不著衣冠近半年
水雲深處抱花眠
——清・袁枚

風捲起萬頃波浪，夜色清幽，寒意深濃，沿著山路的小徑走去，盡頭孤立著兩棟簡樸小屋，主人大概進城去了，草彎著腰迎接我這個陌生的客人。倚靠樹幹，仰望著多雲的夜空，口中不禁吟哦起袁枚的這兩行詩句。

我很喜歡袁枚的作品，也很激賞他崇尚自然的天性。他在四十歲那年就棄官歸隱林泉，蓋了一座隨園，作詩取樂，結交許多詩友，過著優游自在的日子，他在詩中很明白點出，辭官將近半年的時間裡，從心煩吵雜世俗中逃避出來，在水清雲深的山中抱著花兒睡覺，既風雅又浪漫，把萬種柔情都傾注在輕靈的甜夢中，花兒無語人寧靜，風兒拂衾腦清新，再聽不到塵世的聒噪和紛擾，讓無邊的迷惘全舒捲在歲月的風煙中，那樣意境好美，美到令人心醉，可是，我偏偏缺少那份慧根和修行，學也學不像，但我能體會到，他那擺脫塵務的情操，確是很美很美的高貴情操。

職場如戰場，我過去在工作場裡，看到不少明爭暗鬥的糾紛，個個傷痕累累，有的倒臥戰場，有的躺進醫院，結怨結仇，沒有半點袁枚的寬宏淡泊的雅量，像袁枚這樣曠遠的人畢竟有限，想得開，看得開，放得開，開放了心靈，也開放了心情，自己徹徹底底的卸裝，用真心真意去擁抱友誼，離開職場後，就會發現那分友誼實在美的可貴，我們相信「小草在地上尋找擁擠，大樹在空中尋覓孤獨」，修持寬厚的人，路會越走越寬濶。

面對人心浮動，失業嚴重的社會，大家鬱卒氣躁，一不小心就會激怒磨擦，燃起爆烈火花，袁才子「與花共眠」太理想化，對照現實如此清苦的生活，多半是心有餘而力不足，不過，理想是靠努力和際遇去完成的。

聖嚴法師圓寂了，他沒有成家，終生奉獻宗教，心很靜，想得很達觀，擁有廣大信眾，遺願是：「虛空有盡，我願無窮」，比袁枚獨善其身意境更高遠。我們不一定要學袁枚，也不一定要師法聖嚴，但我們要用很美的心去包容俗務，讓別人放心，也讓自己安心。一個心美的人，他的氣色就會非常清朗，相由心生，心主宰了自己靈魂和思慮，有的女孩長得不美，人很善良，跟她相處久了就越覺得她美，她內在美全散發在形體上，怎不教人萬分欽慕。

無私的風範

更無柳絮因風起
惟有葵花向日傾
——宋・司馬光

在桃園機場送走親人，轉身發現一群小官正恭送一位顯貴出國訪問，有些人似曾相識，大家還遠遠微笑示意，我知道他們都很辛苦，必須為五斗米折腰，而我無官一身輕，比他們瀟灑多了。

在回程的路上，想起剛過世的人事界前輩徐有守先生，從他著述中，可以感受到，他頗自負，也很會做事，一生都在忙碌中畫上休止符。我不斷思索他的輪廓，回想跟他交往過程中，尋找他的優點和人格特質。或許他生不逢時，若是碰上司馬光這樣的長官，說不定官位會拉高一點點。

宋朝名相司馬光，史書對他推崇備至。有一年四月間，他在客地賞景，油然有感而留下這些詩句，含有崇正斥邪的意思。他認為在初夏美好季節，沒有楊柳樹上的花絮，會隨著春風飛舞，祇有黃色的葵花，向著太陽低頭傾服。他用花絮和葵花來暗示人性的美醜，深信正直的正氣必勝邪惡的劣行。司馬光愛讀書，有個「讀書堂」，藏書萬餘卷，他受到好書的啟示，把無私風範分送友人，鼓勵世人要如同向日葵一樣向著正大光明的方向去砥礪志節。

政治是可怕東西，做官的不見得會玩政治，但玩政治的多想做官，年底大選，戲還沒正式開鑼，想演戲的人早在互批不是，其實，在政治染缸中泡久的人，有時下場會很悲慘。

官做得越久的人，他的資源分配力量也越大，他今天給你官做，明天可能讓你替他背黑鍋。一個正正派派的人，給人家恩惠一定要乾乾淨淨的沒有渣滓和邪念。

被尊稱為「上帝的建築師」高第（Gaudi），一九二六年被一輛不明電車惡意撞倒，只因當時衣衫襤褸，在場計程車司機均棄其不顧，終因延誤送醫而去世，這些見死不救的人，就有如政客般缺乏良知，沒有利社會善念，自私得只剩下他自己。

滿山落葉鳥空啼

蘇東坡那樣灑脫的人，當貶謫到荒涼孤絕的海南島時候，終日跟侍妾朝雲合唱「花褪殘紅」，竟至泣不成聲，淚流滿面。我常想，人生真的很難都是快樂的時光，雷根做總統時風光十足，現在卻患了老人癡呆症。日耳曼畫家杜勒（A. Durer）的名畫〈憂悒〉，把人生沮喪無助的神情赤裸裸地展露在畫布上，令人在驚悚中感受到禍福的漂浮。

今年暑假，承朋友雅愛，替我安排到深山寺廟去小住三天，由於第一次投宿寺廟，我有點不太自在。夜很靜，而心不寧；景很幽，而腦難澄。一夜盡做糊塗夢，一大早就起床到後山漫步，走到山腰才發現，果如詩人所形容「落葉滿空山」，我一路走去，四顧無人，只有幾隻小鳥在樹枝上跳躍清唱，真是「鳥鳴山更幽」，我不知道鳥是在悲傷的啼叫，還是在雀躍的歡呼，或許牠想告訴我什麼，我只覺得心靈空白一片。這些年，年華老去，雖然喜愛王維那種「晚年惟好靜，萬事不關心」的禪修，卻偏偏只是好靜，依然「萬事皆關心」，我知道，我心中還有一股衝動，一點企圖，和一絲絲的不甘寂寞。我反覆唸著惠特曼（W. Whitman）

的詩句：「我要歡愉堅強，為圓滿結局高歌。」我為自己辯護，我有這個需要。

很多人都不想閒得無聊，每天忙得像鳥一樣啼鳴，儘管他自己也不知道在喊叫什麼，或許他有滿腔悲怨，或許他有滿腹牢騷，也或許他有滿心憂憤，他很想一吐為快，卻惹得更多是非。

現在社會出現一種可怕現象，那就是「成功不問過程，只重結果」，早年一位蔡姓經濟要犯逃到美國，在賭城一擲千金，不改豪情，周圍保鏢把他視為「英雄人物」；隨後又有一個律師事務所劉姓財務人員，一票就撈走卅億鉅鈔，將來他又可能搖身變為「至尊聖人」，這個世界已經沒有真理，以致作姦犯科的人不斷前仆後繼，死不罷休。

回顧世局，滿目蒼涼，一小撮不甘寂寞的政客，湊在一塊大放大鳴，說的是漂亮的話，做的是荒唐的事。此時我彷彿又看到滿山紛紛飄落的枯葉，只有幾隻倦鳥在叢林中穿梭悲鳴，那斷腸的聲音，叫得我也斷腸，想起二次世界大戰的德國陸軍元帥摩德爾（W. Model）兵敗時決心以身殉國，他身旁三名隨從副官都力勸他不要自殺，但摩德爾很勇敢地跟他們握手告別，並嚴肅表示：「我只效忠於德國。」這種愛國情操實在值得我們學習與效法。

千山千水千種情

南亞大海嘯過後，北歐有位商人前往災區尋覓妻子遺踪，意外發現愛妾不是前往普吉島渡假，而是跟他好友相偕到亞齊「比翼雙飛」，他在悲痛與羞憤的雙重打擊下，悄然離去，這是一幅多麼尷尬諷刺的畫面。

男女偷歡是一種理不清的複雜情愫。我在關島認識一位北京姑娘，她在島上經營小餐館，嫁給一個佬外，沒想到她辛辛苦苦從大陸找到當地的一名女幫手，卻跟她佬外丈夫有著親密關係，她一氣之下，把店「關」了，丈夫「休」了，決心返回家鄉，一切從頭來過。我安慰她要想開一點，她很生氣咆哮：「如果是你，你會想開嗎？」我想她說的也很有道理，安慰別人容易，安慰自己就不那麼簡單。我走遍千山千水，看盡千種不同情愛，唯一的心得是：「造物無言卻有情，每於寒盡覺春生」，深感上天創造萬物都有賦予生命力的，不會永遠是寒冷的，嚴寒過後就會春意盎然，我們不要被感情縛得緊緊的，而感到呼吸窒息，再醜的感情，有時也會噴出很清的香味，我們要為自己生命喝采，不要蓄意踐踏自己或別人的感情。

一頭撞進感情網的人，看似幸福，但卻未必幸福。前太電孫姓董事長有了賢淑的妻子，還沾上兩位紅粉知己，或許孫艷福不淺，但安知煩惱更多。林姓前立委也傳出在碧山巖深夜多次密會「美腿女」，林辯稱是為「選民服務」，僅屬「精神出軌」，家人相當不能諒解，共同熬過一段冷戰低潮期。聖經篤信「愛是從純潔的心，無虧的良心及無偽的信心生出來的」，可惜人常用虛假的心，浮誇的情，濫造了一大堆「慘痛經驗」。

愛情真神妙，想愛時候，找不到對象；不想愛時候，又誤闖情網。德國女作家莫妮卡•瑪儂（Monika Maron），在兩德之間燃起了真實愛情火花，寫了一部親身經歷的愛情名著「悲傷動物」（Animal triste），描述她從西德到東德時候，遇見一位學者法蘭茨譜起一段屬於情感風華裡遲來的年少之愛，結果法蘭茨想回到家人身邊，她在推扯中，不經心的讓他淪為車輪下的冤魂，她深為自責，不知道是不是誤殺了法蘭茨。愛情本是不可理喻的東西，來時朦朧，去時飄忽。法國女作家洛杭、莫維涅（Laurent Nauvignier）的「放手」（Apprendra a finir）就將自己轉換成女性立場，獨白女人心理，幻想年老時景象，那時她好老好老了，萎糜的瘦弱身軀蜷縮在籐椅裡，浮籐纏結著她和丈夫，彼此纏得緊緊的永不分離，最後發現丈夫深情款款地注視的人，不是她，而是另外一個佇立前面含笑的女人，她感覺已空無所有，決定讓手中的花，隨風散落，打算從愛情的餘燼中重生。顯然，愛是痛苦多於快樂，我們在愛人之前，必須存有心理準備，不要奢求要有回報，我們要用尊榮心情，寫青春曲譜，多替對方著想，不要貪饞不倫之戀，而毀了別人一生，當你浸沈在「愛情海」時候，要駐足靜思，是做一隻悲傷動物好，還是放手的好。人生有很多選擇，但一次錯誤決定，可能負疚終生。

曾經來臺灣東吳大學任教的露絲、史蘭倩絲卡（Ruth Slenczynska），被譽為「莫扎特以來最耀眼的音樂神童」，她的愛情和婚姻也有不少挫折，但她在琴聲中散發出完美技巧和心靈語言，在濕冷低潮的生命中尋回失落的自我。把人類帶進至高無上的藝術殿堂，她、靠的是天份、毅力、信心和敬業精神。史坦貝克（JahnSteinback）認為「人只要向前邁進一步，也許要跌回來，但也只能退回半步，決不能退回一步」，當你退後半步時，你切記要勇敢再跨前一步，才能立於不敗之地。

永遠的單身貴族

我身邊有很多單身貴族，有男的，也有女的。十年前是「中年單身貴族」，十年後已成為「老年單身貴族」，他們吃得好，穿得好，住得好，唯一的缺憾：就是孤獨和寂寞。

「單身貴族」四個字很耀眼，也很有魅力。按《辭海》註解，貴族（Nobility）乃貴顯之家也；貴顯則是貴盛顯赫的意思，涵蓋著崇敬、高尚、尊貴、莊嚴的品味。不過，一個人的貴顯也有一定的時限，超過這個時限，就會逐漸失去昔日光彩，變得高而不貴的身價，或許自己還以為「高高在上」，殊不知已黯然失色。我們不妨冷靜比較，老年人的膚色容貌絕對趕不上小孩子晶潔紅潤的可愛，人要服老，也得服輸，意志可以很堅，但意識不能不清醒，自我陶醉一時可以，自我陶醉太久就會變得麻木不仁。

我認識一個在交際場所很活躍的女企業家，大家介紹她時候，都尊稱她為最有價值的單身貴族，流露出敬畏與懾服的審美神情。六年後我又在另一個酒會中遇見她，她已完全失去當年的風采，整個人脫了形，不是不美，而是非常憔悴，再說她是單身貴族，無疑就是一種諷刺，她不再引人注意，只因她錯過了該把握的時光。她似乎不在乎別人看法，在宴席間依然談笑風生，開懷暢飲，以致表現出失態言行。所以人不僅要有自知之明，還要有自知之愛，熱過了頭，不但會自暴其短，甚至會自取其辱。單身貴族不是沒有條件的，超過一定年歲就得自行引退，免得冠上永遠的單身貴族頭銜，只能看到投射在黃昏斜照中那瘦瘦長長的淒單身影。

現代年輕人多有超強的叛逆性格，不少女性偏愛隨緣的同居、試婚、扮演未婚生子角色，別人用異樣眼光看她，她也以異樣眼光回瞄別人，她很有主見，也很有個性，完全否定倫理道德的規範，喜歡走自己的路，爭取自由，追求獨立，經常站在時尚的尖端，年少時很吃香，年老時就有沈重的悒鬱，她的身價開始滑落，偏偏自視依然很高，不知道「百年那得更百年，今日還須憂今日」的道理。老實說，女性單身貴族比男性單身貴族更難排遣晚年的歲月。做了單身貴族，好像很難再走回平民路線，再大的風，只能吹落庭院的花草，也吹落不了她心頭那塊巨大的石頭。

我們不要趕時髦，也不必湊熱鬧，還是平實的好，當你還是單身貴族時候，不要忘記先為自己做好理想規畫。蓮花白天開放，晚間緊合，到不能再合時候，就是預警生命快要終結，任何事情都常有預警，我們要趕在青春盛放時候，掌握自己思想，表現出尊榮而有德行的智慧。

心生悲風怨春雨

妻子常常向我抱怨，說我做錯事情喜歡將責任轉嫁到她身上，讓她承受沉重的內心懲罰。我想，很多人都犯了跟我同樣的毛病，不想檢討自己，也不會原諒別人，因為「人類彼此總是互相冤枉的，不是估量得太好，就是估量得太壞」。錯誤的估量，造成錯誤的疏離，紀伯倫（K. Gibran）早就提出警告：「要站在一起，但不要靠得太近，因為聖殿的柱子也是分別佇立的。」

人要保持適當距離，才能相安無事的互為依賴，萬物也是在均衡中保持和諧的共存和獨立。有很多人由於心中有鬼，覺得前前後後都是鬼影祟祟，滿腹狐疑的人，怎能有片刻喘息的機會，種了芭蕉就不該再怨芭蕉，看到落花就不該再恨落花，人生本來就有許多無可奈何的悲哀，只能把悲傷和痛苦一塊埋葬，畢竟生的喜悅勝過死的尊榮。心中縱使悲風四起，也不能因悲風四起就遷怒到春雨的飄淋，春雨無辜，也還不了悲風的心債。喬治‧艾略特（George Eliot）的《吉爾菲先生的情史》，把一份無怨無悔的癡癡愛情寫得驚天動地的完美。人只要心中無怨，再猛烈的震撼，都改變不了他的初衷。

英年早逝的溫姓企業家在眾人心目中是一個至善至真的君子，沒想到他內心亦隱藏著一份不為人知的感情世界，或許他的如夫人會抱怨他未盡守護的責任，髮妻會抱怨他不該有越軌的行為，而他則抱怨她們缺乏相互寬恕之心，其實，千不該萬不該還是溫老闆，為什麼不為自己留下一個白璧無瑕的美名。

人的意志是靠千錘百鍊鑄成的，對於外力干擾要不動如山，或許由一種精神的激發，而生出無與倫比的鬥志。在《萬世千秋》影片中的米開蘭基羅（Michelangelo），他本是雕刻家，不擅長繪畫，教皇命令他為西斯丁尼教堂的圓頂做壁畫，他不敢違抗，在創作過程中，感到很不滿意，只好逃到卡拉拉深山躲藏起來，有一天佇立山巔，遠眺壯闊的利古阿海的景觀而觸動了他的靈感，他再回到教堂，用二年不眠不休時光，完成了千古絕唱的拱頂聖經創世紀壁畫。所以，我們不要怨東怨西，該怨的是你自己，好好思量，你為生命付出了多少心血和代價。

古時有不少文人，喜歡借用比擬的詩句來發洩懷才不遇的苦緒，結果多得不到鯉躍龍門的機會。我有一位大學學長，非常活躍能幹，出了校門際遇坎坷，始終無法一展長才，從此他絕口不談政治，專心經營補習事業，最後也被他闖出一番天地，想到他，就記起中學一位國文老師王偃訓勉我的話：「心中積怨太深的人，永遠看不到面前的燭光。」

獨留巧思傳千古

妻子的大舅在SARS發燒高峰時刻往生西方，前來靈堂奠祭的人寥寥無幾，他寂寞地來了，又寂寞地走了，使我強烈感受到人生的淒茫與蒼涼，我偷偷在想，人活的時候未必能像春花一樣燦爛，死的時候也不可能像秋月一般靜美，人生難道真是「一場有趣的冒險」。當代挪威家喻戶曉作家喬斯坦・賈德（Jostein Gaarder）在其名著《紙牌的秘密》中，就試圖去解答這個懸宕的疑惑。

莊子的思想很玄妙，也很富有人性的幽默感。他主張物無好壞，任其自由發展就好，猶如白色的天鵝不需要天天沐浴毛色自然潔白；黑色的烏鴉不需要天天用黑炭浸染毛色自然烏黑。他用很宏博的人生觀，來開啓知識的殿堂。就像康德相信「美感就是要在自然中才能體現」一樣發人深思。

哲學大師羅索形容他的高足維根斯坦（L. Wittgenstein）是勤學精思的苦行僧。其實，所有哲學家都像苦行僧，活得很辛苦，活得很有靈性。名作家喬治・金・納森（George Jean Nathan）

指出：「雙拳緊握時，不可能思慮周密。」顯然人要在舒放、寧靜、優閒的情緒中才能追求真理，尋覓真知，發掘真趣。倘若我們心緒不寧，甚至情緒激動時，就很難體認到生命的宏觀視野和深刻睿智。一個有思想的人，不是在創造自己，而是在闡述宇宙，把萬物的真象作赤裸裸的探索，讓眾生找到更能養心靜氣的優游空間。

思想家的偉大，不是炫耀自己，他只是把獨具才思，留傳千古。在他們長期煎熬的心靈中孕育著燃燒於胸際的真知灼見，了然生命積極的真諦與本質。蘇東坡勸人：「好書不厭百回讀，熟讀深思子自知。」哲學家思想就是厚實的好書，值得一讀再讀，才能品味出其中發人深省的道理。多年前臺灣爆發一場 **SARS** 瘟疫風暴，有人隱瞞疫情，有人揭發瘡疤，究竟誰較能站得住立場，請先看看十七世紀西班牙哲者巴塔沙・葛拉西安（**Baltasar Gracian**）一句箴言：「不要說謊，但也不宜全盤吐實。沒有一件事比處理真相更需技巧。」這句話在現實生活中好像很矛盾，也很不道德，但仔細玩味，會發現真理就在其中，因為處理真相貴能恰到好處，就萬事皆通，還不至失去和諧。

哲學的妙用，就在透過朦朧的一知半解，禪悟到真理的渾圓。而這些孜孜不倦的思想家，為人類遺留下最豐富的文化資產，千秋萬世，萬世千秋。

震撼的迷惘

乍聽到知名女高音蔡敏自殺噩耗，心中有一股強烈的震撼與傷痛，我和她有二面之緣，由於她是實踐畢業，我在實踐教書，交談起來分外親切，在我印象裡，她很熱誠，也很有智慧，為什麼選擇這條不歸路，我也百思不解，或許在她內心深處有著沉重的壓抑，只是外人看不出來而已，因為非常外向的人有時會有比沉默寡言的人更強烈自毀傾向。

自殺是不值鼓勵的示範，也沒有模仿的價值，一個人突然在這個世界無緣無故地消失了，對親人是一種難以承受的悲哀。我一直秉持自己的理念，我認為任何人做任何事情時候，都得替對方著想，不要踩在別人的肩膀上攀向成功的階梯，更不該沉入海底裡還放出害人的毒液。我們社會生病了，而且病得很重，有人本身懦弱，只好用自己肢體毀掉自己性命；有人個性剛烈，卻以陰刻手段斷送別人幸福。約翰遜（S. Johnson）說得很好：「你不必吞吃全牛，才知道牛肉是粗的。」一好壞東西應該一眼就能洞穿。坊間一度流傳「非常報導」光碟，這是一種極不道德和極不成熟的行為，如果大家群起仿效，社會豈不大亂。

人要「將心比心」，你不希望別人這樣對待你，你怎能用這樣方法去誣衊別人呢？考門夫人忠懇的勸告世人：「看見別人走在前頭，讓我一點不恨。人家好人家比我強，讓我毫不眼紅。」接著她又指出：「人要經過破碎毀壞，才能重塑出高尚的靈魂。」因此，傷人和受傷的人，都不用恐慌，要安下心，洗去心中的罪，看看雨後的籬笆依然悠悠青翠。大思想家紀伯倫（K. Gibran）一生並不平順，亦是嘗盡顛沛流離的病痛後，始展露出「先知」一般的智慧。

佛書有則寓言，記述一個國王因感國家太過安寧，竟派大臣到鄰國去買「災禍」，結果弄得「日日風風雨雨」，苦不堪言，才醒悟到是自作自受的懲罰。現在我們雖然生活苦一點，但大體上都還能擁有一個安寧的居住場所，彼此要和睦相處，真心接納對方，甩掉心頭怨恨，用健康心看健康世界。

善產生寬博的德行，惡製造墮落的業障，我們要消滅心中的罪惡，保持朗澈清明意識，讓身心舒暢，情緒穩定，行動莊重而神勇，真正的謙卑可以救贖你的罪過，上帝可以擁抱有罪的門徒，卻無法拯救自甘頹廢的魂靈。多愁善感解決不了問題，我們必須脫掉疲憊的枷鎖，善處逆境，自求多福，匯集所有能量，追求美德之美。

落花時節未逢君

又是秋風初起的時分，又是落葉飄零的季節，這趟我去舊金山特別抽空去探望柏老，沒想到他因心肌梗塞突發病逝，我震驚萬分，強烈感受到「落花時節未逢君」的遺憾，心中有沉重的哀傷，一時濃得化不開。

認識柏老，是很偶然機緣，他已經退休，非常禮賢下士，對我優渥有加，他一直在宦海中浮沉，醉心名利，曉暢時務，認識他的人都形容他是「一生衹為名心死」的人。他為人拘謹，談吐不俗，從來沒有在我身上沾到任何便宜，因為他知道我是一個為五斗米折腰的窮書生。

他的錢從那裡來，我不知道。他在加州就有一棟價值連城的豪華別墅，還有一座日進斗金的大超市，儼若吳越的陶朱公或明季的沈萬三，可惜他走了，帶不走任何金銀珠寶，留下年輕貌美的嬌妻，就不知道「花落誰家」？

他對我知遇，我很感激；他給我饋贈，我從未接受。他明白告訴我，他很喜歡跟我談論天下事，純粹只是一個談得來的朋友。他對自己後事，似乎沒有來得及作任何安排，他結婚很晚，沒有一個子女，親友都看準他的財富，他很吝嗇，永遠謙稱是個沒有錢的人。的確，他不能算有錢的人，他捨不得穿，也捨不得用，簡直是個不折不扣的守財奴，如果他早些想通「良田萬頃，日食一升；大廈千間，夜眠六尺」的道理，大概就不會「活得那麼節儉，死得那樣寒酸」。

用錢是一種藝術，懂得用錢的人，一元錢會變成一千元，不懂用錢的人，一千元就只值一分一角。我認識一個富商，他善於運用一點點錢收買到一大堆人心，表面上他很實惠，實際上他沽名釣譽，並沒有得到真正好名聲。

我常常在想，人生如此短促，我們都只是「過客」，能夠留下什麼，或者帶走什麼，或者什麼都不是，為什麼不能多愛別人一點，多留別人一點去思，畢竟「其人雖已沒，千載有餘情」，當我們憑弔故人時候，餘情就是最美的相思。

風兩相催，紅塵滿眼，人生有太多無奈。柏老走了，一生功名已經蓋棺論定，我認識他時間也晚，覺得他充其量只是一個「富有的窮人」，悲乎！

宗教慈輝

甥女皈依摩門教，決心來自她一股堅定的宗教信仰。我去過一趟設在鹽湖城的摩門教總部，發現這個教會組織嚴謹，設備現代化，對人類族譜有獨到的研究，留給我非常深刻印象，我認為皈依摩門教也是可喜的事情。考門夫人說過：「人生是樂器，恩典是曲譜，聖靈是技巧，讓他們奏出無比的音樂」。當這些音符飄過我們耳膜時候，不僅是心曠神怡，而且使蒼白心靈平添不少富足。

早年，我有一個學生突然出家修道，我傷心了一段很長時間。近時，又有一個門徒落髮為尼，我卻為她感到高興。我終於明白「通往上帝及宇宙中心的通路有許多，而每個人自有其道路」。我們自己可以不信教，但不必勸阻別人不去信教。每一個信佛的人，如果都能「慈眼視眾生，慈手做佛事」，這個世界將會多麼美好。

宗教是感化人心的至上道德，實為「慈善之心，生生之機」，可是偏偏有人面善心惡，作孽多端，披著羊皮，喝著兔血，極盡「搖唇鼓舌擅生是非」之能事，把神聖宗教弄得烏煙瘴氣，使不信教的人對宗教產生疑慮，影響宗教完美形象，造成扭曲性認知偏差。名詩人艾略特指出：「聖徒的工作，就是熱情、無私、捨己、從人。」，所以教徒貴在擁有寬廣心胸，始能救世、救人、救自己。

舉目斯世，好人很多，壞人也不少。有人為了自己獨自享受快樂，卻讓別人去承擔所有的痛苦。其實，宗教的信念：是恕人，不是恨人；是拯救人，不是毀滅人。不幸一些狂熱的教徒，竟將恐怖的鷹爪伸向地球村的每一角落，結果紐約被炸得幾近癱瘓，峇里島被炸得體無完膚，三寶顏被炸得面目全非。

全球已陷入高度警戒狀態，這些恐怖份子是「贏了戰役，卻輸掉戰爭」，已喚起西方社會更強烈的憎恨與團結，乃至全人類悲憤和唾棄。他們用鮮血染紅了神的聖袍，完全偏離宗教的正軌，褻瀆了神的榮耀，製造道德的昏亂與乖訛。

宗教不是掩飾罪惡的軀殼，而是一股力量，一股聲音，一股清流，一股恆久不變的信仰，我們要點燃宗教的慈光，為這苦難的世紀留一點真正的寬恕和慈悲。我沒有信教，但我相信，道德戰勝邪惡，真理征服恐懼，意志支配人格，宗教是與人為善的最後一盞明燈。

四遊海洋公園

一九六七年初夏，隨教授訪問團前往洛杉磯海洋公園參觀，目睹海豚神乎其技的表演，對漁豚的靈性和智慧，一時嘆為觀止。一九七三年仲夏，又陪老伴舊地重遊，只覺得這些小動物好可愛，好乖巧。一九八二年秋冬之交，在親友堅邀下，又去了一趟海洋公園，看到這群海豚，在同樣時間，同樣地點，表演同樣動作，為了獲得少許獎酬，完全任憑訓練師的支配和驅使，不禁為牠們叫屈。去年，二〇〇二年冬，最後一次又跟兒女順道再上海洋公園，已經興趣缺缺，深感海豚「黔驢之技，技止此耳」，閉起眼睛都知道牠們要表演什麼節目。顯然時光已把牠們淘汰，再過一陣子，或許這些海豚還會高聲悲吟：「李杜詩篇萬口傳，至今已覺不新鮮」。

很早以前就聽過預言，將來不懂電腦就是文盲，當時我並不在意，現在因為經常寫稿，許多年輕編輯都要求用電腦傳送稿件以利作業，我只好學些皮毛派上用場，深感落伍的愧赧。想想，在資訊極度發達的今天，電腦硬軟體更新如此神速，實在難以想像。有一位朋友小孩，在國內一家知名電腦公司工作，今年剛過四十生日，就被公司提早「三振出局」，理由是「薪資太高，潛力太少」。同樣的，我有一位近親也在美國一家電腦公司服務多年，正值年富力壯時候，不久前亦遭強迫資遣，理由是「沒有理由」，大概是剩餘價值不多，現在社會變得「年輕就是本錢」。我有一位好友，在臺灣也算風雲人物，三年前到上海闖天下，開了一家企管顧問公司，至今還沒有闖出名號，主要是黃埔灘頭的生意人，已不是當初吳下阿蒙，沒有幾套新招，已壓不住陣腳。

過去，有人說金碧輝煌的羅浮宮百看不厭，景象萬千的狄斯耐樂園百玩不厭。實際上，這都是言過其實的話。再好的食物，吃多了會膩；再美的東西，看久了也會索然無味。人拼命求新奇，求刺激，求創意，是有絕對的道理，我們不必驚訝，也不用生氣，應該配合著時代的節拍一塊前進。

現代人都很用功，許多阿伯阿母都擠進學校裡進修，學電腦，學英文，學插花，學繪畫，甚至攻讀博士學位，我真為他們感動得鼓掌叫好。可惜他們跟我有同樣的遺憾，就是學得快，也忘得快，枹朴子在勸學篇中一語道破：「少則志一而難忘，老則神放而易失」，所以學習要趁年青時候，到老了才能夠搬出來應用。海豚也要從小施加訓練，才能跳得很神勇，很威猛。泰王蒲美蓬替愛犬「銅」出了一本新書，真情感人，洛陽紙貴，書中暗示泰國人民要像犬一樣忠誠、警戒、有分寸、肯學習、接納智慧。海豚就很有智慧，假如能夠不斷練習新技巧，一定比「黃銅」更能懂得世人疼愛。

羅東，那可愛的小鎮

羅東，蘭陽平原上的小鎮，曾經留著我童年的美夢，那兒的每一條街都有我的腳跡，那兒的每一棵樹都刻著我的名字，我喜歡王媽媽跟我講神仙故事，我也喜歡李伯伯牽著我的小手在黃昏中散步，所有的夢都已經離我很遠，只有那小鎮影子依然在我腦海裡迴旋。

久久，沒有回到那小鎮，鎮上的人也許早已忘掉那可愛的小男孩，而今已長得又老又醜，但頑強的性格裡依然保留著未泯的童心，我愛小鎮的扁食湯，我愛小鎮的小教堂，我還愛小鎮那善良純真的民風和民俗，我很懷念小鎮的一花一草，一樹一木，我相信當一個人久住一個地方時，就會有很深的感情，不可能，也不會把這份感情忘得一乾兩淨，頗有「十載舊蹤時入夢，畫船多處看傾城」味道。不過，我也非常同意「謀殺之后」阿嘉莎•克莉絲蒂（Agatha Christie）在自傳中的真情告白，她認為「我走過的歡樂大道，永不復現」，在她看來，一個人最好不要回到曾經度過快樂時光的地方，因為在你舊地重遊之前，它永遠活在你的記憶裡；但假若你舊地重遊了，美好的記憶就破壞了。她的話感動著我的心，我不敢回羅東去，我希望對那個小鎮永遠保有那份完美的印象。

人喜歡眷戀曾經擁有的一切，記憶越美，眷戀越深。可惜人生擾擾攘攘不斷，經常風風雨雨傷神，很難找到長期的安寧，如果不珍惜現有的生活，縱使過去再美，未來再好，都有渺不可及感覺。當年我住羅東時候，年紀還小，只對它「一往情深」，卻不知道它「獨具秀色」，如今桑榆暮景，雲遊十方世界，始感小鎮風光迷人，我曉得，感情充沛的人，特別念舊，我從沒打算回老家福州長住，也從沒有落腳舊金山念頭，我念念不忘的竟是兒時的故居羅東鎮。

住慣一個地方，很容易跟自己生活打成一片，心生癡迷的依戀，回憶長存，何等喜樂。我愛羅東鎮，當然我也愛臺灣，《聖經》忠告門徒：「你願人怎樣待你，你就怎樣待人。」你要先給別人濃濃的愛，你才能獲得濃濃熱情的回饋；你要超越族群和自我的高牆，你才會保全高貴的尊榮。

人性的沉淪

十九世紀英國作家喬斯特東（G. K. Chesterton）在他處女作《荒野騎士》（The wild knight）詩集中這樣寫著：

我們所有的人種互相結合，
我們所有的民族互相團結；
那麼海就會變成薩克遜河，
流過薩克遜的國土。

在他思想裡，充滿著濃烈的帝國主義色彩，受到輿論猛烈的責難，但這種思想有時卻是人類真情的告白。美國是一個高度崇尚民主自由的國家，卻不時伸出另一隻邪惡的怪手去干預別人國家的內政，南北韓就強烈的仇美、中東國家更是恨之入骨，當紐約雙子星大廈撞塌時，許多觀光遊客都在驚悚悲泣中感到舒洩的迷惘。

人性是扯不清的問題，善惡也沒有一定的標準。《失控的陪審團》的原著和電影我都看過，不失為一部上乘的佳構，把人性的欺詐、卑劣、正義、良知和權謀都作了血淋淋的切割，充分揭露了法律背後鮮為人知的醜陋內幕。在十二個精心挑選的陪審團員中，列名九號的陪審員卻暗地裡左右逢源的漫天叫價：「付了錢我就能讓判決倒向你這邊，你千萬不要低估我。」不錯，誰低估了他這一票，就像另一部影片——《人性的污點》片名一樣的聳動。

我寫過很多有關人性的文章，始終摸不清楚那一種人性比較可愛。有人壞到不能再壞，做盡所有的壞事，仍能瞞天過海地過著怡然自得的生活，或許我們只能這樣說：「請寬恕他們，因為他們所做的，他們不知道。」實際上，他們不是不知道，只是他們在欺騙別人，心在欺騙自己。台灣有一個「政黨」，其中四個嫌犯利用原住民的善良本性，非法吸金八億元，再掏空該黨全部資產，受害人多達四萬多人，黨主席莫名其妙的成了墊背的人。社會險惡，可見一斑。

這個社會受傷很重，到處都充滿虛假和競逐的眾生相。很多人思想貧乏，感情空洞，心靈一片蒼鬱，受到自己「內部飆起的暴風」所襲擊，像荒野之狼一樣發出悲烈的哀鳴，他很想鎮定下矛盾的激情，但被撕裂的靈魂卻得不到片刻的寧息，就如同石濤上人所說：「人為物蔽，則與塵交；人為物使，則心受勞。」凡是不能擺脫俗務的人，又怎能免除內心的紛擾。在人性不斷沉淪的今天，能拯救人性的，大概就靠一點靈慧和真情了，我們不怕「狼」獸性大作，就怕「人」跟「狼」同流合污。

臺灣，心靈的故鄉

英國作家藍伯特（D. Lambert）曾經遨遊世界，最後定居西班牙，寫過一本暢銷遊記《悠居西班牙的一年》，他熱愛西班牙風光，西班牙成為他最愛的故鄉。英國牧師李文司敦（D. Livingstone），深入非洲傳教，開拓非洲蠻荒，一生奉獻給非洲，非洲就是他最愛的故鄉。拜倫為希臘人民爭取自由而長眠戰地，希臘就是他最愛的故鄉。溫莎公爵為了辛蒲森夫人放棄皇位蟄居巴黎，巴黎就是他最愛的故鄉。

愛不分東西南北，也不分上下左右，在任何時間，任何地點，都在開花結果。我是外省第二代，我在臺灣已經五十年，我愛這個地方，也愛這個地方的每一個男男女女，老老少少。臺灣，就是我心靈的故鄉，就是我的最愛，兩岸交流了這麼久，我還沒有回去我生長的地方福州，因為我的感情，我的思想，我的起居作息都早已經融入臺灣的每一寸土地裡。

每一次出國去，一回到臺灣，聞到臺灣泥土的芳香，就彷彿擁抱著母親的懷抱。沒有一個地方比臺灣更值得我依戀，我相信久住臺灣的外省人，根本就不再有省籍區隔，也不可能成為「賣臺的吳三桂」，我們不要因為政治的糾葛，而破壞了善良的本性，更不要用有色的眼光去懷疑清純的情誼。人生需要競爭，但不是鬥爭，更不是惡意的清算。我們要在包容中忘卻撕裂的傷痕，在憐惜中拋掉詛咒的符讖。臺灣猶如慈母的胸膛，讓所有的子子孫孫都公平地躺在她的軀體上，安享著天倫的樂趣，難道這些對你仍舊懷恨不足。

我們要用道德和良知拯救日益沉淪的心靈，讓城鎮的每一角落都呈現晶瑩剔透的膚色，不要再彼此舌頭咬舌頭，眼睛瞪眼睛，本來就沒有那麼多仇恨，何必苦苦要徹底毀滅自己，趕快把煞瘟、豬瘟、牛瘟、雞瘟、鴨瘟，所有的瘟疫趕走，用愛療治所有傷痕。夏目漱石在其名作《哥兒》中道出自己心聲：「人最重要的是誠實、率直和純樸。」這些特質應該受到尊重，臺灣也應該找回這些特質。卡繆（A. Camus）在《黑死病》中下了一個很好結論：「當人類的毒性又發作時，黑死病會再度以老鼠為先驅，而降臨在一個快樂和平的城市之中。」臺灣是一個美麗的城市，我們必須同心合力來保持她瑩潔的姿容，遠離瘟疫，遠離戰火的侵凌。

臺灣，已成為我心靈的故鄉，也是我的最愛，但願在生命餘年中，永遠能感受到她安逸的美好。

只愛咖啡不愛茶

我喝咖啡成癮，已是久遠的事情。我曾經在報上發表了一篇〈咖啡治頭痛〉的短文，引來不少讀者的好奇與關心。現在每次上小西餐廳吃套餐，餐後必定點喝咖啡，不少朋友勸我用茶取代咖啡，還跟我大談茶經和茶道，我當時聽得很入迷，但過後還是再來一杯咖啡，朋友都挖苦我：「狗改不了吃屎。」

每一個人胃口不同，偏好也不一樣。孔子愛薑，鄭板橋愛狗肉，杜康愛酒，陸羽愛茶，王羲之愛牛心，陣後主愛驢肉，魏徵愛吃醋芹，公儀休愛吃草根。還有北方人愛吃大蒜，四川人愛吃辣椒，甚至有人只吃白色的肉，不吃「紅肉」，但也有人百無禁忌，葷素皆可，因為吃得太好，也太多，得了「營養過剩症」。經濟學家葛寶瑞（J. K. Galbraith）早就提出警告：「死於吃得太多的人比死於吃得太少的人更多。」

在拿破崙那個年代，或許物資比較短缺，拿翁相信「軍隊是靠胃去打仗的」，由於每一個人食法不同，想法各異，才使這個世界變得五彩繽紛，高深難測。臺灣一度盛行「尿療法」，喝自己的尿，保自己的身。道教就極力反對修道人食糞，飲小便，喝精液的邪術怪招。世界真奇妙，萬事萬物都會出乎我們的意料之外，我們自己偏愛這樣東西，不必勉強別人也跟我們一樣，有人喜歡在寒冬中游泳，有人卻喜歡在烈日下慢步，沒有什麼值得大驚小怪，躺久沙發床的人，多喜歡睡榻榻米，有錢的闊佬，喜歡留連忘返地在破舊的古老小木屋內憶往尋根，不必訝異，那是人性的真情表露。

我每次上舊金山，總喜歡去吃道地越南牛肉河粉，有時親友以為我捨不得花錢，堅邀我上大館子打牙祭，我告訴他們，我真的喜歡吃河粉，覺得比吃大雞大肉還要過癮。人的口味不同如同人的品味不同一樣，有人喜歡不修邊幅，有人卻終年衣冠楚楚；有人靠視覺享受人生，有人用聽覺擁抱世界；大家取向不同，只要自己感到滿意就好，但執迷偏好，絕不容侵越別人自由。

國內有兩位高級民意代表，對女性「情有獨鍾」，專找貼身助理在五星級大飯店內大玩性趣遊戲，結果爆出轟動社會的桃色緋聞，累了親人，還不知如何修補「完結篇」。一個人喝了茶，就不宜再喝咖啡，喝多了，準出毛病，所以，我寧喝咖啡，不喝茶。大師畢卡索(**Picasso**)回憶幼年時母親告訴他：「如果你去當兵，將會成為上將。」可是他成了畫家，做了畢卡索。可見一個人往往只能做一件大事，做了上將，就可能不能成為畫家。人不能太過貪心，貪心過度，可能一事無成，我就是很好的例子。我常告訴年輕朋友，要培養「心靈環保」理念，要抓準機會，不可三心兩意，免得抱憾終生。

一代清才萬里心

傲岸雄霸的路易十四，一心想征服彈丸小國荷蘭，始終無法如願以償，很困惑地問大臣科爾伯特（Colbert）原因何在，科爾伯特很得體回答：「一個國家是否偉大，並不取決於它疆域大小，而是取決於它人民的品格。我們國家類似荷蘭，應該培養像荷蘭人民一樣品格；勤勞、正直和充滿活力。

我十分佩服美國前總統雷根的品格，他雖然出身演藝圈，但他風趣、優雅、機敏、敦厚、忠誠和果敢勇氣，無疑是罕有的卓越領袖。美國第六屆總統亞當斯（J. Q. Adams），器量宏深，姿度廣大，甚受世人敬重，傳記作者推崇他的「人格和思想，像馬德里島上的葡萄酒，年代愈久愈香醇」。看看，這兩位美國總統互映光輝的情景，就會覺得我們國家如果也能有這樣出色總統，那該多好。其實，並不難，只要我們總統能用心、真心、誠心，就不難跟他們相互媲美。

品格是個人行為特質，是一股力量和鼓舞的榜樣，可以樹立優質的道德標竿。諸葛亮七擒七縱孟獲，就是以德感化孟獲，也是以德感化來敵。哲學家相信「道德即良心」，慣常不違背良心做事的人，不但能以德服人，而且能成為幸福的引路人。

我們很多政壇人士，官做得很大，道德水準很差，他們都靠嘴巴做事，不是靠生命行動。南部一場議長爭霸戰，就道盡了人性的醜陋面，很多新科議員，都發誓沒有拿錢，結果證實都拿了大把黑金。寫福爾摩斯探索的柯南道爾（S. A. Conan Doyle）為了考驗社會名流的操守，發出一封相同的電報：「東窗事發，即速飛離」，結果在廿四小時內，有十二位名聲顯赫人士都搭機遠離。可見每一個人訂的道德標準並不一樣，也很難求其一致，其實社會地位越高的人，應該道德水準也越高，假如他只像一隻貪婪的野狗，還能散發出什麼樣的品格潛力？

楊繼盛寧死不屈的氣節，張說臨危不懼的膽識，張九齡風烈剛毅的忠貞，都使高高在上的君王感受到震懾的餘威。品格的力量可以產生共鳴感和信賴感，開闊人的胸襟和智慧，知道率真、寬厚、謙遜、仁慈以及旺盛鬥志的重要性。正直而高尚的品格，像一團火，可調焙出至性純篤的思想和心靈。才氣橫溢的人更應該立身高處，以宏深遠矚的志向，輻射出思想和心靈的光。

思考的智慧

老姑爹已經十二年沒回來，回來才幾天就有一種直覺感受，臺灣生活環境很清明，政治環境很污濁。他的話，使我不禁想起了當代文壇大師奈波爾（V. S. Naipaul），他出生印度，落腳倫敦，首次回到故鄉孟買時，就對印度留下一些深刻的評語：「貪污舞弊，政治犯罪化，雖然追求美景，卻落得更加破敗。」接著感慨萬千形容：「當前，什麼人對什麼事都沒有把握，一切皆瞬息萬變。」奈波爾的話拿來印證臺灣目前的景象，似乎頗為吻合，臺灣也在瞬息萬變中，但願能變得更好，更有實力，也更有展望。

社會如果紊亂不堪，社會就缺乏朝氣和生命力；社會如果紛亂不已，社會就喪失鬥志和信念感。我非常同意佩特森（K. Paterson）所描述：「能夠取出內在的混雜並從中創告出類似秩序的東西，這將是多美妙的贈禮。」宇宙本來存在著一種自然的美感，不幸被許多暴力分子加以蓄意破壞，以致形成「四肢健全，心臟麻痺」的症狀，使社會暴露在極度不安的狀態下，發出痛苦的呻吟。所以著名女作家布瑞斯納（S. B. Breathnach）將內在秩序作了更周密的詮釋，她強調「我們首先要建立內在秩序，然後秩序才會在日常生活的現實中呈現於我們眼前。做法是：讓每天皆以思索始，以思索終。」顯然她在勸告每個人，必須以思想做鋼架，用行動作定力，不要光說空話，而沒有一滴思考的靈泉。笛卡爾的「我思故我在」哲理，就已經佐證思考能力的重要性。人很容易出現思想間歇性痙攣，一時失去思考的正常化。

東方人很聰明，臺灣人更聰明。可惜說得很多，做得很少，而且說的都不經過深思熟慮就率性迸出，別人還沒受傷害，自己就被流彈擊中，市井小民如此，廟堂高官亦復如此，對社會缺少建設性，徒然添增紛擾爭端，個人內心秩序失去依託，連帶社會秩序崩析，悲劇一個接一個發生，誰都不承認自己就是製造悲劇的無知角色，這正是中古歐洲所謂「無知的不可寬恕」。

處此冷漠的社會裡，我們至少要為自己做好心理準備，想得深刻，做得生動，活得有尊嚴。思想是開啓智慧的萬能鑰匙（Passkey），我們要用過濾後的感情來安排生活，開創美景，追求幸福的人生。

雞鳴天下白

有一年是雞年，大家談雞，品頭論腳，妙趣橫生，儼若是一場別開生面的金雞嘉年盛會。祖逖聞雞起舞，成就果然非凡；范式和張邵信守「雞黍之約」，後世傳為美談。雞是小小動物，象徵著防火、避邪、仁德、華麗、尊貴、威嚴、高雅以及明燦等吉祥圖騰。今年金雞報喜，美德生香，韓詩外傳讚美雞有「五德」，被稱為「德禽」，人應該像雞一樣在風雨中高鳴不已，要喊得豪壯，活得神武。

雞的功用很廣，混身沒有一處是廢物，連雞糞也可以做肥料，雞屁股是饕客口中的珍品，牠一生勞碌，當年輕力壯時，就被拖去「五人分屍」，或是被綁到鬥雞場「競短爭長」，最後牠犧牲自己，成全人類，比猪、比狗還無辜。麥當奴、肯德基、摩斯那一家不是靠牠打響名號，又誰在啃食雞肉時還能憐惜牠的「悲慘身世」。或許有人認為這些「雞毛蒜皮」小事，何足掛齒，可是世上那樁事情不是由小事變成大事，麻雀可以變鳳凰，金雞當然可以變神鳥，雞的歸宿如此，人的歸宿也是大同小異，何況人不是雞，不但要發揮雞的功用，還要改變像雞一樣歹命，主宰自己，塑造自己，美化自己。

鬥雞是一門很殘忍遊戲，我國法律嚴加禁止。東南亞國家卻極為盛行，菲律賓、泰國、印尼都是鬥雞王國，為觀光景點之一，收入相當可觀。歐洲國家如古巴、巴西、波多黎各也盛行鬥雞比賽，但英國、俄國和義大利多立法禁止。我個人也不贊成鬥雞，因為我看過兩場鬥雞，都毛骨悚然，覺得場面太過血腥，「聞其聲」，真的「不忍食其肉」、伊索寓言裡的鬥雞和老鷹故事，刻劃細膩，令人動容。唐太宗最愛「鬥雞比賽」，還用重金禮聘「神雞童」賈昌為「衣食龍武軍」，這個毛頭小子趾高氣揚，目中無人，李白都得讓他三分，只好用詩加以嘲諷：

路逢鬥雞者，冠蓋何輝赫
鼻息千虹蜺，行人皆怵惕

有關鬥雞詩太多，對雞多充滿不平的哀悼。談到相雞本領莫過於羅隱的「養雞術」來得傳神，他強調平日雞冠高聳，昂首雄步的雞，遇到強敵還不如看起來很不起眼的雞，這些神氣活現的雞，多只會飽食終口而已。所以，人也不能像「繡花枕頭」，好看而不中用。希臘絕代首席紅伶瑪利亞、卡拉絲（Maria Callas），曾經做過船王歐納西斯妻子，她的愛情和婚姻都不足道，但地的事業卻如日中天，猶如雄雞牝晨一般站在舞臺顛峯，舒展她揉情女高音的輕盈魅力。成功的人，不怕生命凋零，只怕不能為生命留下燦美樂章。

海天無窮願無盡

坐在夏威夷的海灘，望著蒼茫的海天，內心有很多遐思，也有不少幻想，不知道是來這兒渡假，還是來這兒探索人生。人生一世，哀來樂往，常有解不開的心結，大概只有能夠掌握自己命運的人，才能走出生命的春天。

觀賞名片「奔騰年代」（Seabiscuit），敘述在一九三八年一場賽馬大賽中，騎師瑞德與瘦馬「海餅乾」都受到重傷，憑著毅力和鬥志打敗了名駒「戰神」，充分表現出「那個年代需要的不是英雄而是勇氣」；就像法國蜘蛛人亞倫、羅伯特（Alainr Robert）成功攀登臺北一〇一大樓世界第一高樓時發出的豪語：「這是勇氣的表現」。勇氣，不錯，勇氣扶持人類走出了恐懼的陰影，增添不少活水的泉源。

海是很大的，天也是很大的，人的願望也可以很大的，可是如果光有願望而沒有勇氣是永遠無法完成的。當一個人心生畏懼，意下躊躇時分，必定抑鬱沈喪，憂愁攻心，怎敢邁開大步往前衝刺。曾任演員公會理事長的紅星柯俊雄，出來競選立委時，敢公開聲稱，人要信公理，我不會西瓜偎大邊，像楊君，今天是國民黨，明天是民進黨，現在當廟公。或許他批評得有點過火，但說的是實話，因為他有十足的勇氣，才能獲得十足的支持，不僅高票當選，還贏得無數彩聲。

勇氣代表一個人的人格特質，也是立功立德的重要條件之一。北市聯合醫院仁愛院區總醫師林致男在病童轉診風波中扮演著極重要角色，就因為沒有勇氣承認自己職務上疏失，竟用許多謊來圓第一個謊，使謊言變成瀰天罪過，其實，本來事情沒有那麼嚴重，毛病出在他自己拼命的設法逃避責任，最後作繭自縛變成敗壞醫德的殺手。當然，承認過錯，是需要很大勇氣，尤其當所有人都把目光投注在你身上時候，你不免心慌意亂，更不敢實話實說，主要你心中有鬼，先被自己打倒，然後才被別人轟倒，當你上身已沈沒水底，只剩下一個頭臚時候，別人只須輕輕一按，你就會慘遭滅頂。漢明威（Hemingway）自許「寧願被毀滅，不願被擊敗」，一個人生著要有勇氣，死去也需要勇氣。史記點出「君子禍至不懼」，事實上，不僅是君子要大禍臨頭不害怕，不般人也要具備這種氣魄，平日不做虧心事，危急時才有勇氣承擔風險，用智慧化解危機，以膽識面對挑戰，在絕境中再創生機。

勇氣來自一股鎮定、曠達、沖淡、機智、縝密、慎思、沉著、堅忍、收斂以及不慍不火的內在凝聚力。郭子儀單騎退回紇，就是一種勇氣；關雲長單刀赴會，也是一種勇氣。甘地（Gandhi）遇到一位作家給他一張甘地本人照片要他簽名時，他竟哈哈大笑告訴對方，他竟然忘了自己是這樣又醜又小的人。甘地能夠自我調侃也是一種勇氣，表現勇氣方式很多，你也可以在適當場合表現出來，或許你就在那一瞬之間，留下終生不朽的聲名。

敞開心靈之窗，用正直的眼力，去觀察周遭的是是非非，紛紛擾擾，事事物物，要有善惡分別，要有好壞區野，也要有接受或拒絕的勇氣，真理只有一個，不能隨波逐流，失去自己立場和人格。功名利祿，渺如塵煙，一個人要能意氣縱橫，顧盼自如，有膽量對不義之事大聲說：「不」。

素餐比盛宴美好

我以前喜歡飽食狂飲，吃得肚子大大的，動作笨笨的，看起來很富泰。現在我厲行「三淡主義」——飲食吃淡一點，名利看淡一點，情欲想淡一點，最近連續去做健康檢查，醫生給我評語是：「頭腦清淨，精力充沛」，並且肯定我的觀點：「素餐比盛宴美好」。

現代人貪睡又好吃，完全違反「吃的簡單，想的深刻」（Simple eating; High thinking）長壽法則，個個腦滿腸肥，年紀輕輕的，不是罹患高血壓，就是罹患糖尿病，醫學再發達，也救不了他的健康危機。看起來他很勇敢——「視死如歸」；實際上，他很無知——「死得冤枉」。

有的人野心很大，抱負也很驚人，要吃得最好，住得最棒，企業經營得頂哇哇，結果，一切都歸於空無，想得太好，做得太差，跌得鼻青臉腫，留下一副空匣子。春暉國際多媒體公司董事長陳俊榮，原為臺灣電影界大亨，全盛時期，紅極一時，因擴展太快，經營不善，負債累累，從雲端摔落谷底，幾至痛不欲生，最後靠宗教力量救了他，使他對人生再度充滿期待，或許正契合聖經那句名言：「春暉沒後的榮耀，會大於之前的榮耀」。陳俊榮是得救了，他已經體會到素餐比盛宴更值回味。

憚悟人生玄機，要靠一點慧根和定力，有人貪得無厭，沒有想到當他擁有全世界時，可能他已經失去了原來擁有的最珍貴事物。舉國聞名的花蓮曾記麻糬，素有「花蓮糬王」之稱，不幸最小兒子跟最大女婿發生嚴重內鬨，鬧得滿城風雨。富有固然比貧窮好，可是錢多不一定是福，有時還是災難，就像吃得太好的人不見得是享受，也許就是災難的開始。

做生意，很少是一次就成功的；寫文章，也很少是一次就成名的。世間上是有幸運的人，你卻未必有這樣運氣。太容易發財的人，不知道金錢的可貴；太容易發達的人，不知道名望的價值。朋友在密西根開了一家中菜館，虧了不少錢，搬遷到洛杉磯，從頭來過，才闖出獨家名號。我們坐在他店裡笑稱他是「福將」，他很尷尬表示：「我流過淚水汗水和滿肚子苦水，才拚出這一點點成就」。的確，看別人成功很輕鬆，誰曉得輕鬆中包含著多少的辛酸，路雖然是自己走出來的，但不是每一個人都能走出自己的路，享受要有節制，幸福才會無窮。

夢裡歲月都是淚

我年少時候很「自私」，年老時候很「慎獨」，我常常閉門反省，我做了什麼對和錯的事情，我告訴自己要寬恕別人，多忍、再忍、永遠的忍。可是，我想得很多，當我不能忍的時候，還是暴跳如雷，依然故我，雖然大家都承認我脾氣改了很多，但似乎永遠達不到預期的火候。

不能忍的人，會吃很大的虧。出身低微的偉大音樂家布拉姆斯（J. Brahms）就是一面活生生的鏡子，他那樣有才氣，那樣正直誠信，那樣固執而有主見，可是他那粗暴狂烈的性格，使面孔永遠露著呆板憂傷的神情，隨時會用尖酸刻薄字眼去惡意攻訐別人，四周環伺著太多敵人，他坦承自己並不快樂，是「一個孤獨的人」，甚至表示「我生來就注定要住和尚廟的，只是從未找到合適的一處」，布拉姆斯給我們很好的提示，不要輕易送走友誼，還在癡癡等著友誼的來臨。

我白天很迷糊，晚上很精靈，躺在床上東想西想，想得頭痛萬分，睡夢中還賡續不斷，發現一生太平凡，卻做了許多不平凡傻事，紅塵蕭瑟，秋夢蝴蝶，醒來時枕上盡是淚水，平日不忍哭的眼淚，在夢中卻奔瀉不息。

胡適算是很有點學問的人，但他做人仍不見成功，死後有人送他一副輓聯：

胡復何言，當年假設太大膽；

適可而止，來年求證要小心。

人大概沒有十全十美的，一定要求其心安。日本名醫春山茂雄寫了一本《腦內革命》著作，勸人要做自己身體的主人，分析長壽人共同特性那就是「心胸要寬闊，不要患得患失」，這樣就會順利分泌出腦內嗎啡。我慢慢體會到做人的道理，衝動成不了氣候，生氣更有傷內力，做人要守分守紀，還要容人容己。

我是一個感情豐沛的人，憂國憂民憂自己，眼看「社會混亂如此」，真是心痛如割，過去會大聲怒罵，現在連罵都力不從心，深感年歲越大，火氣越小，或許在修養上達到一定程度，但在旺盛鬥志上卻輸了一大節，所有傷感都在夢中發洩無遺。我常想，一個人與其「夢裡歲月都是淚」，不如「醒時年華盡風光」來得意氣風發。

羨貓嫉狗　先學做人

動物行為學之父勞倫茲（K. Lorenz）證實狗懂得如何感動人，也最值得人類信賴。日本動物行為女作家加藤由子相信貓就是貓，不論什麼貓，凡是有貓的地方，便蘊藏著各種不同的哲學。所以，研究動物的學者幾乎一致的公認，貓和狗是跟人類相處最成功的動物。

貓多「楚楚可憐」，狗則「虎虎生風」；有人憐貓成癡，有人疼狗若狂。甚至有人自己省吃儉用，卻讓心愛寵物過著「養尊處優」的生活，難怪許多旁觀者心生嫉羨，寧願來生做貓做狗也不想做人。

喜歡貓的人都形容貓魅力十足，肢體語言豐富，是孤傲、潑辣、嬌媚又狡猾的小動物。夏目漱石的名著《我是貓》，開宗明義點出主題：「我是貓，一隻沒有名字的貓。」但靠牠孤獨而睿智的眼光觀察出人世間的真知灼見，心得是：「他們都是自私任性的傢伙。」貓想了解人，人難道不想了解貓嗎？萊辛（D. Lessing）筆下的《貓語錄》，是描寫一隻大帥貓「巴奇奇」晚年因病切肢，靠著三條腿過活的屈辱經驗，內心多了一份驚艷過後的蒼涼悲哀。貓跟人一樣，有歡樂時光，也有失落的恐懼，讓人知道，不能對生命有太過奢侈的幻想，要能伸能屈，才能自求多福。做人本來就會厭膩，但並不代表做人沒有得天獨厚的本錢。

在人的心目中，狗比貓更有分量。美國人簡直把狗當作子女看待，生日時替牠慶生，死亡時替牠舉行葬禮，美參議員佛斯特（G. G. Vest）禮讚狗是「唯一不會背義負恩的朋友」，狗這樣高貴尊榮，人有時真的望塵莫及。

不過，很多事情都不是想像那樣單純。有一年，我在考試院服務，有一位女同事非常憐愛流浪狗，每逢午餐時刻，她總帶了十幾隻流浪狗到餐廳前餵食剩菜，流浪狗渾身異味，別人為其側目，有一次流浪狗咬傷一個路人，經人報案後，在一夕之間全被捕殺盡光，這位好心女同事還因而悶悶不樂了好幾天，狗很有靈性，但還是逃不過朝不保夕的劫難，命運多操縱在人類手裡，比起做人要遜色很多。

史坦貝克（J. Steinbeck）鼓勵人要先「喜歡自己」，然後才能接納別人。假如一個人連自己都不喜歡，那豈不空無所有。梁啓超在幾十年前討論到思潮問題時，就批評很多人思想太過「浮光掠影」，實在「無恢博之演繹，無嚴密之歸納，輕下判斷，輕棄判斷」，簡直就是「浮淺」。梁啓超說得明白，罵得痛快，老實說，我們與其羨貓嫉狗，不如先從學習做人開始，人做成功後，大概就會根絕變貓變狗的念頭。君不見，失水巨魚不會活活坐以待斃，一定會游回深海再覓生機。

骨凜秋霜氣自豪

政治學大師約翰・羅爾斯（John Rawls）在名著《正義論》中，確立正義即公平的基本概念，把正義的精神放在個人的善、自尊、自律、道德感情、自我統整等基礎上，強調心靈的純潔，將使個人明察秋毫，通情達理，而能自我克制地去付諸行動。猶如尼采形容叔本華一樣：「他沒有一點希望，但是他還是追求真理。」

正義是立己、立人、立國的原動力。沒有正義的世界，會密布暴力、殺戮、虛矯、狠毒、險詐、陰刻以及危機四伏的陷阱。勃朗帝（W. R. Burnett）筆下的「小霸王」瑞可，是黑幫中後起的新秀，大家聞名喪膽，不可一世，最後還是在槍林彈雨中結束一生噩運。缺乏正義的人，膽再豪，勁再大，理想再多，都將白費心力。法國女作家包佛瓦爾（Beauvoir）相信「善只有一個，那就是按照自己的良心採取行動」。瑞可自命不凡，也逃不過上天審判善惡的法眼，多行不義的人，終究會在良心的制裁下伏法。

中學時候，我很不上進，有時會跟幾位同學到雜貨店偷罐頭，覺得像完成一樁有驚無險的「豐功偉業」一樣，高興了一整天。中年以後，大家歡聚一堂，想起這些醜事，就有很深的羞愧。人長大了，思想也就跟著成熟，能夠考慮到利害得失，有較為正確的道德觀，知道自己享樂就是別人痛苦，不義的行為，就是不善的思想，「天地有公心，日月無私照」，剛直磊落的人，才能得到善的回報，心術邪惡，顛狂亂世的人，縱然能在艷陽下乘涼，也無法在暴風中逃生。

晚間在林園中沉思時，油然想起王永彬兩行對仗工整的格言：「人之足傳，在有德，不在有位；世所相信，在能行，不在能言。」簡單說，就是高尚品德勝於傲慢權勢，實踐力道重過花稍言辭。我認為，在不美的地方看到美，才是最耀眼的美。居高位的人，不能整天端著不可一世的雄姿，暢談言不及義的大話，騙盡天下蒼生，卻騙不了自己良知，有一天心病了，身瘦了，生命也將陷入灰暗的深淵。

我有感骨凌秋霜氣自豪的壯志，我益信正義歷經寒風苦雨摧殘後，將更加凜然不可侵犯，凡是不義築起的殿堂沒有不在神的見證下傾圮。我們要深入自己的內在，探索精神上的價值和道德上的最大公約數，在生命的最低點，燃照起如虹般的萬道霞光。

憂道也憂貧

學問蓋世的顏回，當春秋無道的時代，隱居在狹窄的小巷裡，過著極其清苦的生活，孔子讚美他，孟子推崇他，可是他死的時候，孔子卻不願賣掉馬車來厚葬他，我弄不清楚，是孔子「寡情」，還是顏回「命薄」。古代君子一向抱持「憂道不憂貧」的心志，認定「君子有終身之憂，無一朝之患」，而我是一介凡夫俗子，始終主張「憂道也憂貧」的理念，我發現許多窮人已活得夠辛苦，那有閒情去弘揚人生大道理。

當前經濟持續沉淪，失業人口急遽上升，連連有好幾位失業人，想盡辦法來結束自己莊嚴生命，一個人連活的勇氣都沒有，其悲哀可想而知。杜甫一生因為貧得發慌，在字裡行間都流露出悲不可抑的淒愴。淪落京城時寫道：「朝扣富兒門，暮隨肥馬塵，殘杯與冷羹，到處潛悲辛。」還有「白頭亂髮垂過耳」，「短衣數挽不掩脛」等詩句，都表達出詩人對貧窮無助的吶喊。杜甫文采煥射、志氣高遠，竟然被貧窮壓得失去了堅貞的鬥志，這是何等的辛酸。我想，人不一定要很有錢，但一定要有活得下去的經濟能力。

錢太多，會使人亂性；錢太少，會使人敗德。所謂「君子固窮，小人窮斯濫。」當小人缺錢時候，就會做出驚天動地的壞事，當前社會盜賊四起，搶案頻傳，保險箱不保險，安全庫不安全，世界之大，幾無安身之所，主要是大家太窮，那些不務正業的歹徒，只好幹起打家劫舍的無本生意，使寧靜社會平添不少肅殺氣氛。

我不贊成一個人太有錢，我也不希望一個人身無分文，當人活不下去時，就會鋌而走險，無所不用其極。我相信「衣食足而後知廉恥」，太窮的人怎能聽進去人生大道理，我們要面對現實，兼顧精神與麵包，政府正在高喊拼經濟，假如經濟再沒有起色，一切仁義道德都會變成一堆糞土，不是老百姓無知，而是老百姓需要獲得最起碼的生活保障。

「道」是一門很深學問，「貧」是一件很現實問題，當基本問題不能解決時候，談高深學問會顯得格格不入。我有一個學生，一再告訴我，他很喜歡聽我上課，卻一再不來上課，我很惱火，經打聽後才知道他父母雙亡，三個弟妹全由他拉拔長大，清晨送報，夜晚當校對，白天那有精神上課，我很同情他，覺得是窮拖累了他。太窮的人，把山珍海味端在他面前，他都會覺得是一大諷刺。足證，道與貧是必須兼籌並顧的。

奇外無奇更出奇

過去在我死腦筋裡，總覺得凡事都有極限，到了這種程度就休想再越「雷池半步」，現在看遍世間萬事萬物，才知道，科學盡頭還有宇宙堂奧。

二〇〇三年十月十八日，馬來西亞一名男子維克里士南，用牙齒拖動了六節重二百六十點八噸，長四點二公尺的超重火車車廂，創下金氏世界新紀錄。世人開始好奇，為什麼人在體能極限中還能突破極限。一九九六年亞特蘭大奧運登山車下坡賽中，法國明星車手弗伊洛斯（**N. Vouilloz**），憑藉體力、耐力、掌控技巧，以區區零點五四秒之差壓倒群雄，完成不可能任務。就像本屆奧運男子一千五百公尺「四連霸」天王巨星艾爾蓋洛（**EL Guerrouj**）所向披靡一樣神奇。不錯，超越太難，但能超越的人還不在少數，世上大概沒有不可能的事情，今天不可能，明天或許就變成可能；上一個鐘頭還認定絕對不可能，下一個小時就不得不承認已經變成可能。只要你想，你肯下苦功，太陽也許有一天真的會從東邊下沉。

好奇是人類自然心理傾向，我發現世上真有許多不可思議的事情。英國魔術大師大衛布萊恩（David Blaine）在懸空玻璃箱內絕食四十四天的玩命表演，他是在逗引人類激賞的眼光，還是在表現人類強韌的內力，也許永遠是一個謎，但至少證實人也能像神一樣「無所不能」。當我老伴五十六歲那年，我曾經異想天開地跟她開玩笑，希望她能「老蚌生珠」，一舉成名，讓我們遠征全球「巡迴展覽」，一次發盡「生子財」。沒想到，現在巴基斯坦一位年高八十的老婦比比（Bebe），竟然「有喜」，簡直顛倒眾生，誰再敢說「天下雖大」，不是「無奇不有」？

莫內（C. Monet）是印象派畫家中第一個成功的人，開始時「印象派」三字只是諷刺的字眼，他的畫評價很低，財務狀況也很差，一度想自殺，當愛妻卡蜜爾、愛子米歇爾相繼去世後，他從悲痛中站了起來，由逆境中力爭上游，一九一四年以名作「睡夢」奠定了他日趨完美的獨特風格。所以，諷刺的字眼有時也是一股激勵的推動力，許多無奇的招式也會轉換成出奇的景觀，世界是在不斷變化中出現推陳出新的成果。

這是動腦的年代，不能故步自封，不能墨守成規，要有新的創意，新的思想，新的理念，新的生活方針，求新、求變、求滿足、求永無止境的突破。一八八〇年左右，我在法國乘坐「彈頭」火車，據說是當時舉世速度最快的火車，曾幾何時，早被一九九〇年五月推出時速五一五公里的「高速列車」（TGV）所取代，我完全能體會到：不進步真的就是落伍。

富商秘笈

清朝出過兩位異曲同工的紅頂商人，一位是胡雪巖，另一位是王熾，他們都出身貧寒，靠著絕頂的謀略智慧，創造了「商業王國」。我們不能否認他們具備有過人的優質條件，可是我們更不能忽略了他們成功的人際手腕，他們是借助權貴的肩膀，攀登上富甲天下的臺階。

胡雪巖擅長揣摩逢迎，主動獻賄，他相信「大樹之下好乘涼，做生意不能沒有靠山」。嚴格說，是用賄賂手段達到賺錢捷徑。王熾同樣也非常了解商道，他認為「官府撐腰，銀子開道，要想打開局面，非找靠山不可」。他們深諳交結權貴，張揚勢力的圓世哲學，使許多問題皆能迎刃而解。

時代在變，人的思想也在變，過去商人如此，現代商人未必一樣。當前世界首富，微軟總裁比爾・蓋茲（Bill Gates），被戲稱為商場上極其兇悍的怪胎，他堅守不讓私人恩怨影響決策的信念，但他遇上對手時，最大的娛樂，就是把別人殺得片甲不留。傳播業鉅子儒伯・梅澤（Rupert Murdoch）被調侃為「卑劣的澳洲佬」，他的信條是不做好好先生，冷酷無情是必備的條件，他熱衷權謀，肯下賭注，抱持永不止息的企圖心。綜觀蓋茲和梅澤的共通點，就是「狠、速、準」三字訣，因此，可引用專家的評語：「想要他們停止掠奪，就像要禿鷹改吃素食一樣不可能」。如果純從生意角度來看，他們確是箇中強手，有其獨到的功夫。

從上述四位中外古今富商的成就可以發現，中國古代商人重「靠山」，現代歐美商人重「狠勁」。而臺灣不少富商巨賈更厲害，是一方面找靠山，另方面要狠勁，結果「上下闖關，大小通吃」。每一個沾上邊的人，都發誓是最純潔的「聖女貞德」，實際上是官商勾結，黑幕重重，給的是「不譽之金」，取的是「不義之財」，使社會充滿嘲弄戲謔的迷思。走筆至此，不由想起香江千億富豪李嘉誠說的一句話：「未學經商，先學做人」，現在官場和商場上的人，都被鈔票矇蔽了眼睛和良知，我想朝鮮富商林尚沃的經典之語尤值得世人玩味：「做生意是在賺取人心，而不在賺取金錢」。

臨刑猶有豪勇情

沒有人不怕死，三島由紀夫在自殺前，坦承「好死不如歹活」。漢明威肯定「死亡是對生命中一切災害的最大補償」，可以說是對死亡作了最完美的詮釋，但人類對生的追求永遠超過對死的衝動。

自殺和處決迥然不同，自殺是主動的，處決是被動的；自殺需要勇氣，處決更需要勇氣。自古以來，走向斷頭台驚心動魄的故事不勝枚舉，其中幾則對我感觸最深，也最有啓發作用。

雍正間學台俞鴻圖，狷介耿直，主持考試大政，一向大公無私，不幸寵妾王喜兒與奸僕私通，竟偷試題出售。雍正聞悉，龍顏大怒，下旨腰斬示眾，俞鴻圖腰斬時身體被分為兩段，隨地亂滾，而上段之身，猶能忍痛濡血屢書七個「慘」字。雍正聞奏，亦心有戚戚焉，始下詔廢除此刑。俞鴻圖的確死得冤枉，但用死諫感化聖上廢除酷刑，亦屬難能可貴。

明末清初文人金聖嘆，被羅織成罪判處死刑，押赴刑場時，神色自若，猶開懷暢飲，對大家說：「殺頭痛事也；飲酒快事也」，只可惜「黃泉無酒店，今晚宿誰家？」，聞者動容。

他那種「行不為飾，動以求直」性格，分外受人激賞。

歷史上許多賢良之士，既具剛烈磅礡的豪氣，又不失蘊藉風雅的氣度，他們臨刑時不畏不懼的神采，足以感天地泣鬼神。明代忠臣楊繼盛因上書奏劾奸相嚴嵩父子，被斬殺西市，臨刑時賦詩：

浩氣還太虛，丹心照千古；
生平未報恩，留作忠魂補。

千載下讀之，猶令人掩卷長嘆，久久難以平復。

忠臣有忠心、忠肝、忠膽，其高潔情操和超邁志節，果然與眾不同。更值得推崇的是明末神童夏完淳，死時年僅十七歲，不愧「生為才人，死為雄鬼」，小小年紀為復國大業，腰懸一劍，闖蕩天下，最後慷慨赴義，視死如歸，還力勸岳父錢彥林要注重身後名節同赴死難，感人腑肺，叫人斷腸，獄中完成的詩集「南冠草」，縝密思清，光燄萬丈，真是震爍千古的小英雄。

任何人押赴刑場處決，都是一樁慘烈的悲劇。惟有那些英雄壯士猶能保持雲淡風輕般的內心寧靜，才使生命散發出璀燦奪目的異彩。

風箏誤

托爾斯泰說：「上帝有兩個住所，其一在天堂，其一是在慈善而富有同情者的心裡」，我很欣賞他這句話，可是我又常常在想，我們去憐恤那些愚昧而貪婪的人，是否也是一種罪過。

墨西哥性感歌后葛洛莉雅、特瑞薇（Gloria Trevi），天生麗質，放蕩不羈，素有「墨西哥的瑪丹娜」之稱，一度歌唱事業如日沖天，成為拉丁美洲的風雲人物。不料因捲入性醜聞案而逃亡巴西三年，最近黯然回國受審，出身貧民窟的特瑞薇，不能珍惜羽毛，引火自焚，世人莫不同聲惋惜。

立委尊稱泰公的劉泰英，鈔票多到可以壓垮一棟大廈，沒想到還是經不起金錢的誘惑，差點被關進牢房，他是否涉及弊案，不是我想討論的問題，我只是關心這個社會，許多有頭有臉的人，在路上走得好好的，何以會因一時失足而跌落深谷？意氣風發的朱安雄為了一償宿志，竟違法賄選，掀起軒然大波；代言反菸的偶象歌手杜德偉因涉嫌暗藏大麻被逮，原本形象清新的他，勢將嚴重影響演藝生涯。

璩美鳳、王筱嬋、薛楷莉都是才貌雙全的傑出女性，好不容易攀上枝頭當鳳凰，為什麼不能多忍一下，多想一下。多忍一下「慾火」和「貪念」，多想一下「親情」與「仕途」，只要再忍忍，再想想，大概一切悲怨都會化為烏有，午夜夢迴，定必愧不當初。當初若能逃過這個劫難，所得社會評價必然大大改觀，那份「顛狂柳絮隨風舞」的感傷，怎能不湧上心頭；那種「多情枉受蝶蜂憐」的悲戚，怎能不敲斷心弦。

從唐日榮的鍍金馬桶到黃任中仿造骨董，都讓我們想到繁華春夢的恍惚迷茫。黃任中因涉嫌逃漏稅而遭押，我固然強烈反對「選擇性辦案」，然而，我也非常不贊成「奢侈性享受人生」。有太多人過於放縱自己，就像唐代向陽公主一樣，開始時不能珍惜自己，最後才毀了自己。

人要有念舊情懷，珍惜舊愛，珍惜舊情，珍惜落土的種子，開花的堅果。珍惜名譽，珍惜所擁有該珍惜的珍惜，不要「為了那個陰影，而妨礙了自己明朗的幸福」。本來情有喜怒哀樂，格有高低雅俗，你要常懷清明思維，尊重自己品味，請牢記英倫三島作家佛羅里歐的名言：

「你是鐵砧時，應屹立不搖；
你是鐵鎚時，應奮力敲擊。」

與良心對話

生命原是一張白紙，我要在生命白紙上寫下美美、美美的詩篇，沒有污點，也沒有遺憾，當我長大後，我一直這樣鞭策自己。

哲學大師蘇格拉底（Socrates）在刑臺上服毒將死時，慢慢掀開遮著面孔的白紗，向他好友歐拉托（Orito）交代了最後一句話：「我曾許諾阿斯克立匹（Asclepius）要給他一隻雞，請你記得幫我做這件事。」克拉托點頭說：「我會去做的。」這時他才毫無牽掛地離開痛苦的塵世。鐵血宰相俾斯麥（O. V. Bismarck）一生鍾愛幾條碩大無比的丹麥狗，都將牠們安葬在瓦森景致優美的林園裡，到了暮年，他就不再養狗，因為他怕抹不去葬狗時的哀痛。英國當代小說家格雪安葛林（Graham Greene）在他名著《愛情的盡頭》（The end of the affair）中撂下一句名言：「我一向驕傲在這世界上不欠任何人錢。」不欠錢就是求得心安，內心安寧的人，日子才會過得穩逸。

在這個功利紛擾的社會裡，人很難覓得一個寧謐休憩的場所，政治人物天天喜歡作秀，連演員與富商也跟著歇斯底里起來，「厚黑學」在這個時代已不夠看，放眼四顧，站在你面前的人，個個都比厚比黑，很難找到幾張順眼的臉孔，多年前，市井小民在「水餃宴」中大談「獻金案」，弄得舉國譁然，全民倒胃，測謊器也測不出善於說謊者的情緒變化，誠信問題成了大家爭議的焦點，只有涉案者的良知才能監控出他的情緒起伏。上帝太忙，也來不及去揭穿這些偽善者真正面目，不過，這些人縱使有一天混進天堂，最後還是會被推入地獄。梭羅（Thoreou）相信「沒有經過品性上的播種時期，怎能預期思想上有收穫」，因此，我們什麼都不用怕，只怕良心受到懲罰。

大約在三十年前，我到一家銀行取款，服務人員不小心多給了三十元，當時的三十元，數目已算不少，我很貪心把它拿了回去，一時坐立不安，沈思良久，趕緊歸還銀行，有一位襄理還豎起大拇指誇讚我一番，其實，我是良心不安，還怕「東窗事發，顏面無光」，但從那一天開始，我就想通了做人原則：「誠實是人格最好保單。」幾十年來，我承認脾氣剛烈得罪不少人，這些人還能包容我，因為我正直人格彌補了我急躁個性，想想，人若能處處誠信待人，不但可以美化心靈，還能贏得諒解。

沒有不輸的贏家

大漢「飛將軍」李廣，在雁門關討伐匈奴時也有一次大敗被俘的紀錄。德國常勝將軍「沙漠之狐」隆美爾（E. Romme），在艾拉敏會戰中亦受到重挫。中外古今歷史上功勛彪炳人物幾乎沒有不敗事跡，當然在運動場上更是有不斷「墜落的巨星」。

楊傳廣和紀政早已走入歷史的帷幕，戴世然與鄭志龍也失去了昔日風采，代之而起的卻是陳詩欣、朱木炎和黃志龍，由於運動員「壽命太短，淘汰率太高」，黃志龍趁著年輕時候轉為不分區立委，不失為明智的抉擇。美國網壇霸主山普拉斯（Sanpras）贏得第十四座大滿貫頭銜後，毅然正式宣布封拍，留下「永遠的球王」雅號，才真正是智慧的決定。巴頓將軍曾經寫信向他父母表明心跡：「只要今天我能偉大，則明天受苦而死，我也甘心。」我想，偉大是一種意志表現，但不能「只有三分才幹，卻想做十分事業」。

且看二〇〇四年雅典奧運風雲榜，就有許多發人深省的插曲。美國十九歲「神童」菲爾魯斯（M. Phelps）戰績輝煌，個人一口氣就拿下六面金牌、二面銅牌，但在二百公尺自由式仍輸給澳洲「魚雷」索普（I. Thorpe）。美國選手哈姆（P. Hamm）在體操男子個人全能賽時，第四項跳馬落地摔倒掉到十二名，差點失去金牌，幸好靠單、雙槓完美演出，罕見的敗部復活。巴西選手利馬（Lima），在馬拉松比賽中一路領先，眼看金牌在望，不料愛爾蘭醉漢衝進跑到攔阻，最後僅以銅牌作收，使他懊惱不已。

女子一百公尺跨欄決賽，加拿大女子世界冠軍費莉希恩（P. Felicien）在第一欄便難堪摔倒，賽前躊躇滿志，賽後垂頭喪氣，很消沉表示：「這場比賽，讓她心靈受傷很重。」全球知名度最高的田徑明星瓊絲（M. Jones）今年一無所獲，空留滿臉淚痕，覺得這樣結局比她最可怕噩夢還要糟。

「臺上三分鐘，臺下十年功」，在運動場上，今天是風雲人物，明天可能就成為過氣英雄。許許多多不甘寂寞的老將，硬是要向歲月挑戰，最後徒然留下更多的寂寞。失敗的人不必耿耿於懷，只要「打過美好的仗」，又何必朝朝暮暮的不斷拉風。

眞愛一世恩

愛是恆久不變的感情，愛也是歷久彌新恩義。諾貝爾化學獎得主白克納（E. Buchner）相信「真正懂得酒性的民族，永遠清醒不醉」。有句話說，只有不懂真愛的人，才會在感情跑道上變成昏頭昏腦的醉漢。

鄭姓前立委和王姓助理，轟轟烈烈相愛，淒淒慘慘分手。在美國，一邊「落荒而逃，倉皇求救」，一邊「愛恨相續，緊追不捨」；在台灣，一方「展喉示愛」，一方「自由明志」。雙方由「愛人同志」變成「宿世冤家」，由「天上掉下來的禮物」變成「地裡冒出來的爛貨」。所有甜蜜、恩愛、情意、悲憫、寬忍。都化成一堆糞土。不知道是鄭君糊塗，還是王女無知，把一番美好愛情殘踏得支離破碎。

猶記得年輕時候，曾經到鼎廬去採訪畫家藍蔭鼎，在他畫齋裡看到一把摺扇，扇上題了四行字：「虛即靜，靜即清，清即明，明即靈」。他告訴我，做人要冷靜，不要衝動，要堅守定力，增長智慧，縱使談情說愛，也要明理、悟性、體恤別人。現在想起來，這些話都是經典的語絲。我發現，在王女心目中鄭君是一個「好花心的老頑童」，在鄭君腦海裡王女是一個「好神經的俏女郎」，他們原是天生絕配的佳偶，沒想到一夕之間，反目成仇，互挖瘡疤，頓成新聞焦點人物。看似成名了，其實「求名應求萬世名」，這種「荒唐的臭名」，又怎能經得起分析？

人生是一個永恆的問題，愛情有淒美的結局，也有圓滿的落幕，不論鐵達尼號男女主角是否愛的生動，也不論溫莎伯爵夫婦是否愛得感人，至少他們都將愛的恩義作了至善的注腳。君不見，有人「望峰息心」，有人「窺谷忘返」，還有人「相養以生，相守以死」，均對人生有過深刻的取捨，人要活得快樂，活得無虧無欠，不是愛時發狂，恨時發癲，應該用感恩之心盛裝輕輕柔柔的情義。當一個人隨心所欲，率性而為時候，到頭來可能就會一無所有，空留生命一片灰白。

風煙萬里，天地無春，我們靜觀這個世界，有太多人喜歡故弄玄虛，強出風頭，把一池清水弄得混濁不寧，孟郊早就看透：「世上名利人，相逢不知老」，年紀一大把還不知「老之將至」，成天終日地在愛情窩、名利海裡打滾，最後「愛情似浪花，功名如潮水」般流逝，背後揚起一陣輕蔑的聲浪：「這個絕情絕義的傢伙，真要不得」。

錢多不比錢少的好

汪傳浦擁有五百多億財產，的確令人心動。汪妻葉秀貞神通廣大，透過外交部官員申請補發護照及文書驗證，在臺灣脫產五億元。外交部官員一向自視甚高，竟然法外施恩，變通再變通，以致駐英代表人選臨時變卦，承辦組長秘書均調離現職，說穿了都是有錢闊佬害慘了「窮公務員」。心理學家奧利微亞・梅南（Olivia Mellan）分析得很透徹：財富不僅是金錢，它與人類深層感情密切相連，包括感情、權力、安全感、獨立、支配力與自我價值。金錢顯然是財富最重要環節，影響與財富相關的所有事情，可以成就一個人，也可以毀滅一個人。

前美國總統柯林頓（Bill Clinton），緋聞滿天飛，卸任後還想大撈一筆，在巨額著作費誘惑下，不惜將自己風流韻事公諸於世，在《我的人生》（My Life）新書中亦提到與陸文斯基一段驚世絕妙艷史，不管他能否名利雙收，至少已滿足了他的金錢慾望，金錢不僅使窮困平民瘋狂，也使上流社會人士「變節」。

沒錢人想發財，有錢人也想發更多的財。一位科技公司女強人，賺飽了鈔票還嫌不夠，結果掏空公司資產，坐進了牢房，還找許多倒楣小股東墊背，最近發現她經營公司多達數億資產竟轉進自己丈夫帳戶，金錢使人失去智慧，也失去廉恥，她無法理解「物盈終有缺，久貴必招禍」修身之道。再說，泛新光集團是國內很有實力的企業機構，分由四個兄弟掌管，他們個性有如春夏秋冬，有人形容老大吳東進喜歡當家指揮；老二吳東賢與世無爭；老三吳東亮雄才大略又帶點叛逆；老么吳東昇則是理想主義者。為了「權」與「財」，搞得兄弟鬩牆，相煎甚急，苦了老母吳桂蘭，話說很重，問題只解決一半，猶如臺北市林姓三姊妹為了龐大遺產稅喊冤不已一樣。英國作家珍・奧斯汀（Jane Austen）一生只寫了六部名著，開始時很認真的寫，後期熱愛物質生活，幾乎放棄了寫作生涯。因此，我常有感的提醒我的子女：享受可以紓解身心的壓力，但容易減弱堅韌的鬥志。

我不否認「金錢萬能論」，有錢可以到米蘭買昂貴皮草，有錢可以到布宜諾斯艾利斯尋幽探勝，有錢還可以到雅典觀賞多采多姿的奧運，但有錢卻買不到健康，更買不到心靈的平安、寧靜和幸福。不要太迷惑於金錢，擁有太多金錢，也許就是你的危機開始。英國強暴累犯何爾（Hull）中了「特別樂透」大獎，獲得獎金四億三千多萬元新臺幣，錢還沒有落袋，已經使監獄傷透腦筋。無獨有偶，南韓弒母朴姓嫌犯，最近亦中了一百八十萬美元大獎，警方懷疑彩券是偷來的，可能使其無法消受。金錢固然有許多價值，可是一些附帶條件往往使金錢變質；幸福不等於財富，而且超越了財富。

悲喜渡衆生

多年兩樁訴訟懸案，出現乾坤大逆轉的結局。《易經》載：「訟，終凶。」似乎被推翻了一半。宋半仙的分身術，不但使信衆「眼花撩亂」，而且使法官「意亂情迷」，竟然標舉宗教自由的旗幟，以「信者恆信」的論調，改判「宋半神」無罪開釋，讓社會掀起一片錯愕的聲浪。但世上並不是每一個人都一樣幸運，涉嫌強制性交和連續猥褻的林姓牧師，卻被加重刑責，一判就是五年兩個月刑期，難怪當庭嚎啕大哭，聲稱「把我槍斃算了」，這兩案足堪說明心證的關鍵性。

我個人同情林牧師，佩服宋仙人。仙人畢竟比牧師法術高明，不管法官是被「催眠」還是被「點穴」，至少能找出許多合理化的理由為仙人脫罪。法界驚嘆「匪夷所思」，我則認為「理所當然」。君不見，政壇風雲人物謝姓夫婦都被唬得一楞一楞的，其他餘子那有資格相提並論。

這兩起宗教訴訟，一則以悲，一則以喜，結局雖不一樣，意義卻大同小異。結果一個在監獄外受「心刑」，因為「罪雖可匿，心實難安」；一個在牢房裡受「身刑」，因為「裁制是違法者所受之惡報」。他們多多少少都做了一些叛經逆道的事情，社會上大眾才會「擊鼓而攻之」。宗教旨在追求真理，絕不是渲染神蹟，更不容無限上綱。美國大法官霍爾姆斯（O. W. Holmes）把人的心靈比喻為一個銀行支票帳戶，必須隨時存入大筆款項，才不致發生「存款不足」的退票窘況。所以，人要多學、多想、多做善事，才會使心靈富足。

宗教為良心教育，是勵志、求善、喜捨、敦品、慎獨、忍性、走私的精神鼓舞泉源；豈可被神棍用來斂財、騙色、斯世盜名的工具。我相信，最偉大的人物都佩帶傷痕，最正直的義人都應有一顆誠善的心。從事神職的人，更要比別人忠心、愛人、奉獻、讚頌，完成神的事工，服膺「在小事上忠心，在大事上也忠心」信念，不要做違背良心的事，在神的殿堂上是容不下以卑劣求勝的罪人。

佛渡衆生，也渡有緣人；給人幸福，也給人痛苦；永遠以悲喜來啓發人生，讓人看到自己真實的面目。約翰遜（S. Johnson）說過：「如果你厭倦了倫敦，也就是厭倦了人生。」我想不妨改寫：「如果你厭倦了宗教，也就是厭倦了生命。」可是，我想不通，為什麼有人偏偏包藏禍心來踐踏宗教呢？

司法歸司法，宗教歸宗教。我們要在神的面前，表現人的慈悲與喜樂，我們可以在神的懷裡，安享寧靜的情趣，但萬萬不可借神的名，胡作非為。

夢回漢城

南韓一名殘疾失業人金大漢，瘋狂縱火造成邱地鐵的人間煉獄，釀下無可補償的慘劇，使我對這個鄰邦產生極深的哀悼與懷思。

二、三十年前，去過幾趟漢城，只覺得漢城很空曠，很簡樸，很寧靜，很單調，很富人情味。夜晚，我常常獨自去鬧區一家啤酒館小酌，佐酒的只是一碟花生米，既經濟又實惠。回來後還寫了幾篇短評文章，倡議臺灣也開啤酒館，沒想到，瞬息之間，我家附近就像雨後春筍般出現了幾十家啤酒屋，設備精雅，高朋滿座，經營方式完全變質，有點類似酒廊，把我自己整慘了，悔不當初，也算是一種意外的「報應」。

韓國在我印象裡，不算進步的國家，倒是韓國人民十分踏實、勤奮、能吃苦、個性強、比較保守，萬萬想不到，僅僅十幾年光景，他們竟突飛猛進，進步得令人刮目相看，不但影藝事業大舉進軍臺灣，而且工商業快速成長受到世界各國重視，幾乎取代了日本，在亞太地區掀起一片「哈韓風」，可以跟中國大陸分庭抗禮。我們應該引為警惕，也應該知所效尤。

昨夜，我依稀又回到漢城，壯偉的樂天大飯店依然在寒風中展現雄姿，古樸的街道散發著一股新銳的氣息，阿里郎情歌又在斜陽中迎風飄送，但我深深體察到韓國已今非昔此，儘管韓國月亮不比我們圓，可是韓國政經建設正煥然一新，想到「漢」江水暖鴨先知的訊息，油然興起熱愛家園的思潮，因為太愛自己的國家，就不免抱怨更多，內心有強烈的沉痛，不知那些爭權奪利的政客，在為老百姓做些什麼？

韓國的電視連續劇《女人天下》和《明成皇后》給觀眾很強震撼力，我發現韓國也是經過一段長期的宮闈鬥爭和掙扎才有今天的風貌。過去大家都說「日本能，為什麼韓國不能」，現在改口為「韓國能，為什麼臺灣不能」。前些日子，國人出國旅遊時，喜歡身懷鉅款，炫耀示眾，其實，「良賈深藏若虛，君子盛德容貌若愚」，內斂謙遜的人，才知道不進步就是落伍的道理。英雄不談當年勇，當年腰纏萬貫，而今身無分文，吹噓不覺得更加羞愧嗎？與其羞愧過日子，不如大家發奮圖強，再造「臺灣第一」的璀璨事蹟。

今晚，特別到韓國料理店吃火鍋，想起漢城的「蔘雞湯」，雞小，肉多，味道鮮美，不失為韓國一大特色。臺灣一定也有很多特色，應該趁此機會好好加以宣揚一番。人是有思想的蘆葦，要在軟弱時候表現堅強，在挫敗時候發揮韌性，韓國水梨已在國際市場搶盡風頭，臺灣水果幾時也能旺銷寰宇。比我們落後的南韓，已逐漸迎頭趕上，我們豈可安步當車。

淨化心靈

台灣原本是一個「富而多禮」的國家，現在卻變成「富而混亂」的社會，大家一忽對宗教狂熱，一忽又對股市癡迷，缺乏一個中心思想，社會到處瀰漫著頹喪氣息，安全匱乏，人心浮動，大家看到太多暴力行為，不免產生一種「心靈痲痺」（Psychic numbing）的症狀。李登輝前總統曾提出「心靈改革」的呼籲，期能轉移社會風氣，帶領國家順利迎接二十一世紀艱辛的挑戰。

台灣治安日益惡化，大家都心知肚明，但如何解決社會亂源，似乎很少人能夠說出所以然。「心靈改革」無疑就是一帖特效藥，只是這個名詞比較抽象，如果不加落實，就會失之空洞，所以，最好從心理建設角度來加以詮釋，較易彰顯其實質的功能與價值。

一、心靜：在一片紊亂的生活環境裡，最需要是能保持一份寧靜的情結，以鎮定的態度去面對紛至沓來的困擾。「松以靜延壽，竹以空受益」，一個能靜能空的人，必定想得深遠，看得豁達，不會整天在做非非之夢。朱子指出「靜中存無限妙理」，故「人心如水，靜止即斷，凡是寧靜致遠的人，自然會臨深志深，不為物欲所羈絆。」艾子寓言中記載，艾子遊泰山時看到山旁有一位「哭甚哀」的老太婆，一問之下才知她丈夫彭祖活到八百歲死去，她很不甘心，因為她覺得世上還有比她丈夫活得更久的人，這正是隱諷人是永遠不會滿足的，主要是人的心不靜，外來刺激太多，壓力太大，自己又不知道如何調適，終至鋌而走險，乃至自甘墮落。事實上，培養心靜的功夫，相當不易，目前許多靜坐、瑜珈、禪修等，或許都有一點幫助，只可惜不是人人都有這種能耐和韌性。這個社會需要很多愛，卻找不到愛，莎士比亞早就知道「愛不是用肉眼去察看的，而是用心靈去體會的」，試想，一個慾望無邊，心靈蒼白的人，他又怎懂得愛人或被愛？因此，我們不妨從最簡單最容易方法做起，不斷提醒自己，要保存一顆寧靜的心，盡量朝善念公道去做，如果台灣二千二百萬同胞都能把浮躁的心給「靜」下來，台灣就不會這樣亂，社會就會相安無事了。

二、心誠：存在大師 **Kierkegaard** 的「汝虞我詐」理論在台灣大行其道，大家說的是一套，做的又是一套。楊簡說：「以實待人，非惟益人，益己尤大」，所以，「不誠無物」，害了自己，也害了別人。史家記載，晉文公想用詐術去打楚國時，大臣雍季力排眾議勸諫，舉例說明「詐術可欺騙一時，卻無法欺騙永久」道理，才絕了晉文公這個歹念。一個國王要用誠去處理敵國的事，那麼，一般民眾當然更要用誠來處理周遭的事了。這個社會真的很缺乏「誠」字，大家都喜歡勾心鬥角，巧舌迎合，只求目的，不擇手段，於是「以其人之道還治其人之身」的詐術就風行不息，最後我害了你，你也傷了我，表面上是扯平了，骨子裡卻大傷元氣，雙方都付出昂貴的成本。達摩祖師說：「以往的聖人，難行能行」，我們不是聖人，做起來困難必多，不過，「誠」這個字，不是什麼大哲理，每一個都可以做到，只要你想到，願意做，「死守善道」，就能做得很好。總之，心靈的美，才能表達出性格的真；動機的誠，才能流露出行為的善；君子存誠的目的，就是要深切體認到「做一個不幸的蘇格拉底勝過做一個滿足的騙徒」。

三、心善：人類先天本性和後天行為是半善半惡，亦正亦邪，致出現原罪論與性善論的相互激盪和衝突。社會上有些被公開表揚的「大善人」，拆穿後才發現是十惡不赦的「大惡棍」，對這個社會打擊太大，善惡之分只在彈指之間，使人對自己失去信心，開始相信「心為惡源」和「人心惟危」的說法。其實，這個社會還不至於沒有救藥，只怕大家都把善心給埋葬了，失去真心和真情。

我的學生楊蔚齡辭去華航空姐職務到泰北難民營去做義工，仿效史懷哲辭去醫生高薪到非洲救世的精神，使她贏得崇高的讚譽，她寫的兩本書「邊陲的燈火」和「知風草之歌」都感人至深，她的心很善，意很誠，表現出來是那樣赤裸裸毫不做作的感情，那份至真至美的赤子之心，顯得分外高華無匹。我們社會需要更多像楊蔚齡這樣女孩子，不一定要走她的路，至少要學她的精神，倘若大家都有她這樣美的善心，社會還會亂嗎？

道德以良心為基礎，良心以存心為根源，Mill 說「行為的德性，完全依據「存心」（Intention），即是依據行動的主動所想做的事情而定」，Dewey 亦承認「存心」與德性有關。所以單有善良意志而無外表行動就不能表現德性了，故楊蔚齡這種表現出來的行動是值得學習的。

四、心美：心美是看不見的，可是人的思路和言行可以把它散發出來，所謂「誠於中而形於外」，一個心靜、心誠、心善的人，必定心美，所以四者實存密切關聯性，互為因果關係。人透過接觸、扶助、激勵、讚賞、情義、分享、鼓舞等交流，容易增進互補的吸引力。「美即是好」（What is beautiful is good），所以，舉凡美的語言，美的感情，美的智慧，美的經驗，都會給人美好的感官享受，使人達到陶冶心靈和充實心靈的目標。

心美的人，他會懂得感恩和回饋，他會懂得悲憫和包容，他珍惜點點滴滴的愛，串成濃濃密密的情，高貴而感人，歷久而彌新，格外凸顯其人格的健全和完美。心靈改革不是空泛的道德訴求，而是要化為具體的實踐行動。我想，這是一項神聖而艱鉅的改造工程，全民必須誠心誠意地投入，使心跟身相呼應，言與行相結合，方能獲得紮實的成果。

我心常存知友情

我一生沒有做過大官，也沒有做過大事，有時不免有點兒悵惘，但是，幸好我擁有不少知交朋友，大家都說：「得一知己，死可無憾」。所以，我也常以此自慰了。

交朋友也並不容易，有時還得靠點「機緣」，有一年，我負責銀行大額貸款的徵信工作，當我親自到一家規模不錯的工廠去瞭解營運狀況時，這家工廠的年輕董事長一再表示很希望跟我做一個好朋友，而且發誓絕不是因為想借錢才有這種動機，雖然我也蠻欣賞他，但不免仍存有戒心，以致影響我們友情的進展，可能我反應太過冷淡，這份友誼就曇花一現的結束了。

這個世界這樣大，你單單跟這幾個人相遇、相識、又相知，實在是很微妙的事，好朋友不但是「兩心相契」，而且是「肝膽相照」。杜甫很崇拜李白，寫了很多懷念李白的詩，其中有「故人入我夢，明我長相憶」、「三夜頻夢君，情親見君意」，還有「渭北春天樹，江東日暮雲，何時一樽酒，重與細論事」，但李白未必那樣認真，不過，友誼是雙方面的，李白當不致長負杜甫的深情。

我有一個同學，在沒有做官之前，常常找一些老友杯酒交歡，但做官以後就跟朋友疏遠起來，大家都罵他過足了官癮，輸光了友誼，看樣子，一旦下台一定會很寂寞。朋友是一生一世的事情，有時條件比我們差，但他的心可能比誰都美，交朋友是有條件，否則不會「物以類聚」，不過，這種條件是以感情為基礎，只要有感情，什麼都好談。

在我一生的體驗中，發現要贏得友誼至少要注意三點：

第一、不求成本與酬賞的等值關係：做朋友不是做生意，不能太重視交易後的淨利結果，如果你很會計較，我也很會計較，大家就不可能變成知心朋友，鮑叔牙因為不怕吃虧，才長遠受人推崇，我有一位朋友，「他很傻，但他很誠懇」，由於他的誠懇，認識他的人都為他的誠懇所感動，所以，大家都樂於跟他接近，他交朋友從不計算成本，開始時他的酬賞看不出來，但是，最後他所得到的酬賞，就足夠換回所有的成本。

第二、在內心深處保留一個空位盛裝好友的感情：友情猶如一塊稀世之玉，不用時要把它珍藏在最安全地方，當你想起它時要能及時找出來，在你內心深處，要牢牢地擁有這份友誼，不是在利用它，也不是在炫耀它，而是珍惜它，覺得它永遠是自己生命中的一部份，不論人事滄桑，不論時光變化，不論恩恩怨怨的起落，兩個生死之交的友誼不應該受到絲毫的損傷。

第三、彼此的諒解與寬恕要深且廣：再好的朋友都難免有所爭執或誤會，可是，當事情發生時候，要多替對方著想，要有諒解的包容量、要有寬恕的悲憫心，在感情脆弱時候，要信任對方，要多想他的優點，用冷靜態度、誠摯心意，以求共渡險惡的難關。一對好朋友，要在心與心之間，建築一條通道，不僅在求諒解和寬恕，這條通道，必須很深很廣，永遠暢通無阻。

朋友與朋友之間的感情，是一份抽象而沒有價位的財產，可能一文不值，也可能是無價之寶，完全看給與取雙方的感受而定。你必須珍惜這份珍貴的友情，不要怕付出，不要斤斤計較，人心是肉做的，對方遲早會感覺到你真情的深厚。友誼是一股看不見的力量，當你軟弱時候給你信心，當你無助時候給你勇氣，當你徬徨時候給你定力，在我一生中，經常接受好友的關懷與鼓勵，使我在跌倒時重拾信心，才不致一蹶不振，成為沒有明天的人。

有些好朋友的確會做出令人痛心的事情，這時候你可以疏遠他，但不必去破壞他，因為他畢竟給過你難忘的時光，你不妨想想他的優點和好處，你就會產生較多的寬恕情懷。我曾經交過這樣的一個朋友，後來他希望跟我重歸於好，我也寬恕了他，但卻無法像以前一樣深交。因此我發現凡是已經受傷害的友情有時的確很難修復那道裂痕，不過，我從不在別人面前說他壞話，我知道他曾經給過我很美很美的回憶。我深信，千金易得，一友難求，誠如聖經所說：「有一個朋友，比弟兄更親密」，朋友，尤其是知己朋友實在難得，只要一個，不要多，已經足夠你回味無窮了。

我這一生，最感滿足，最感自豪的，就是有幾位很知己的朋友，我們不一定常在一塊，但是，一遇困難，彼此都會毫不吝嗇地相互關懷，並伸出援手，現在大家散居各地，但我們的感情卻恆久不渝。

友情是一種精神象徵、信念活水，和力量的泉源。當你孤獨、寂寞、潦倒、絕望、悲傷的時候，特別需要友情，即使它只給你淡淡的微笑，輕輕的拍肩，悄悄的耳語，那都會給你很大鼓舞，使你站起來，覺得有一股支撐的力量，你會重新去體認生命，勇敢接受命運的考驗，不再猶豫、不再軟弱，不再自暴自棄、不再讓自己壯志全消。一個真正的好朋友，不詐欺、不虛假、不掩飾、不猜疑、不辯護、不自我為中心，他絕不下錦上添花的功夫，大多是表現在雪裡送炭的情誼上。

年輕的人交朋友，從來不會考慮到會得到什麼，可是長大了，就比較會計量到雙方的利害關係，以致使友誼變質。善待一個朋友，有如善待配偶，大家要誠心誠意地坐下來共話心思、分享雙方喜悅、共渡美好時光，把心交給對方，用良善、誠摯、平和、正直、忠誠，乃至寬濶的襟懷，去包容對方，並接受友誼的祝福。

大家都知道，交朋友要有選擇，應該寧缺勿濫，可是有時卻被朋友出賣了；究竟是你無知、還是他不義，實在很難下判斷。我始終認為，做人必須有原則，不要自欺欺人；交朋友，要順乎自然，絲毫勉強不得。我一生蒙受朋友的恩惠甚多，因此，我建議你，在求學階段，最好能交一、二個終生共患難的知心好友，以免辜負上蒼對你所作的善意安排。

結交朋友，心要誠，情要深，門檻不能太精，可以捨命全交，也必須義薄雲天，永遠做一個忠貞不貳的知心人。

灰色的慌亂

臺北市，人多、車多、噪音多，因此，初回國門的人，對臺北市不太習慣，就是久住臺北市的人，也經常有心慌慌的感覺。我有不少朋友告訴我，他每天一上街，就有一種壓迫感，好像有什麼事情將會發生一樣。當前許多企業家要到大陸去投資，各黨派在政治舞臺上拚鬥，都會帶給部分敏感老百姓嚴重的打擊，他們膽怯怯、心怕怕，不知道哪一天會有大難臨頭，笑他杞人憂天也好，怪他無事生非也對，可是，就是誰都無法消除心中一團疑慮。

有一段時間，我每天心慌意亂，老是心緒定不下來，擔心自己會精神崩潰，後來跟朋友談起，發現跟我有類似情況的，簡直比比皆是。他們一致認為，近年國內脫序現象太離譜，使人心浮動，感情衝動，大家在良性競爭中還包含著濃烈的惡性暗鬥，不僅倫理體系崩盤，而且到處可以嗅到火藥的濃味，意志不堅定的人，隨時都有被洪流吞噬的可能，因此，每一個人為了自衛，都得提醒自己，把精神武裝起來，以進入備戰狀態，人活得這樣緊張，這樣痛苦，人怎能不自怨自艾，自求解脫呢？

新聞報導，目前國內外都有許多「恐慌症」（Panic disorder）病人，患者常會在隧道、電梯或者人群多的廣場、超級市場突然發生心跳加速，頭痛欲裂或腹動絞痛的症狀，雖然只是持續數秒鐘到數分鐘，但因症狀過於突然激烈，常會令患者畢生難忘，深覺世界末日已經來臨，而直覺以為唯有離開現場才可逃生，日後則本能地遠離曾發作的地方。如果發作次數多，有些病人甚至從此躲避在家不敢出門，卻又不敢告訴他人真相，實際上已成殘廢者而不事生產，這是多麼遺憾的事情。

不過，我所謂的心慌慌顯然比恐慌症的現象要輕微多了，也許心慌慌根本就不該和恐慌症相提並論，可是，我依然相信心慌慌的惡化結果，就是恐慌症的一種早期訊號。當然，當前心慌慌的人太多了，多到使你數也數不清，說他害怕什麼，他一點也不害怕，說他沒有害怕，他又很有害怕的味道，心慌慌的人，終日張皇失措，心裡積壓著許多擺脫不掉的畏懼、慌亂、憂鬱，和悵惘的綜合愁緒，一遇到突發的事故，就顯得格外淒茫和肅殺，心中一片蒼白，心頭一陣痙攣，彷佛腳底虛浮起來，一時心灰意冷，進退失據，覺得自己是一個被世人遺棄的人，真是「海燕銜泥欲作窠，空屋無人卻飛去」的茫茫感。

我曾經花了一段時間去研究，人為什麼會有心慌慌的感覺，結果發現有如下幾個顯著原因：

第一、社會不安定：表面上大家豐衣足食，可是心理上卻像無根的浮萍，好像社會隨時會倒塌一樣，因此常有高飛遠逸的意願，但事實上沒有採取行動，陷落在一片虛脫的恍惚中。

第二、流言很可怕：像前一陣子，許多黨派相互內訌和詆譭，政局紊亂不堪，以致人心惶惶，大家都不知道今世是何世，明日是何日，因此，坐立不安，六神無主，再多的抱怨都發泄不了內心的苦悶。

第三、生命太坎坷：有人一生命運乖舛，對國家沒有信心，對社會沒有信心，對自己也沒有信心，活得很疲倦，也活得夠辛苦，他不知怎麼樣才能扭曲噩運，他走了一段很長的路，他很想休息，但，他還得繼續走下去。

第四、環境看不慣：他不喜歡這個環境，他想改變這個環境，可惜他沒有力量去改變，而且還要向環境屈服，他全身無力感，似乎什麼都使不出勁道，看得很多，想得很多，卻什麼都沒有去做，他看不慣這個，也看不慣那個，而最看不慣的竟然是他自己。

第五、缺乏安全感：以上四點加起，給他一個完完整整的心理負擔，就是徹頭徹尾的沒有安全感，他覺得生命隨時可以結束，生活隨時可以解體，社會隨時可以動亂，甚至國家都隨時可以滅亡。活在這樣飄泊的生活情境中，你能怪他心慌慌嗎？

心慌慌固然跟恐慌症還有一段距離，但心慌慌的人就是恐慌症的一種前奏曲，只是恐慌症已呈現病症，心慌慌還止於情緒失寧而已。其實，在我看來，心慌慌比恐慌症更可怕，因為社會上感染這種情緒的人相當普遍，他們對人、對事、對政府、對領導人物都失去信心，他們很氣、很恨、很想批評，最後什麼都做不出來，在層層的競爭壓力下，他永遠扮演弱者角色，滿腦晃動著灰色的恐怖，鎮日為憔悴的心靈暗自啜泣，他信心動搖，意志薄弱，可是對自己又偏偏寄望殷切，這是多麼矛盾的心結，所以，心慌慌的朋友，還是振作起來吧！

以至大的愛包容至大的罪

台北市神話世界KTV縱火燒死十六條人命的死刑犯湯銘雄，以高貴的勇氣，捐出了身上所有器官；以贖罪的心情，走完人生最後的旅途。或許他生前罪孽深重，但他臨死時的平靜和覺醒，卻感人至深。

也許當時他稍為收斂一點，他就不會有今天的下場；也許當時他稍為慈悲一點，他就不會沾上滿手的血腥；也許，也許已經沒有也許。湯銘雄已經挽不回悲劇的一生，但他臨死前一剎那放出的光芒，卻重燃了人性中至美至真的火花，為自己洗滌了罪惡，也為人類締造了「另類的啓示錄」。

改變湯銘雄一生的人，就是國小老師杜花明和他母親杜明。杜花明的么弟杜勝男因湯銘雄酒後縱火而葬身火窟，杜花明悲痛之餘，卻用宗教悲憫感召兇犯，使湯銘雄大徹大悟，在重刑犯舍房中高唱聖歌，在獄中散播溫暖和愛，把生活感受到的些許喜樂，都分享給獄友，這種難能可貴的奉獻，為舉世死囚留下「示範楷模」，他走了，但依然受到千千萬萬人的讚佩與憐惜。

湯銘雄只走錯了一步，再想用全心全意的善念和善行來贖罪，都嫌晚了一步。人真的不能有任何閃失，一失足就要付出無以補償的代價。湯銘雄「遺恨在世上，遺愛在人間」，他捐出的身上器官，至少可造福三名病人，這種崇高的情操，極獲社會的肯定。

湯銘雄在臨刑前夕，寄出很多信，見了很多親人，還對自己兒子叮嚀一些勉勵的話，篤信宗教的他，完完全全變成另一個人，誰敢說宗教力量不大?著名聖經學者亨利馬泰（Matthew Henry）臨終時告白：「服事神並與祂有交通的人生，乃是世上最得安慰最快樂的人生。」宗教價值這樣高，實在不允許任何人假借宗教作幌子來欺騙世人，褻瀆了宗教的神奇力量。

湯銘雄故事，已拍成電影，相信會激發世人喜愛和共鳴，也會產生啓迪作用。詩人常常感嘆：「人生無根蒂，飄如陌上塵」，人生在世本來就飄泊無依，倘若捉不住自己，還能捉住什麼?湯銘雄走進了生命死胡同，卻為別人開創了另一扇生命之窗，值得我們深思和玩味。

拳王失態

重量級拳王泰森在與何利菲德爭霸戰時，企圖重登拳王寶座，一時受舊恨新仇的報復心理作祟，兩度咬傷何利菲德的耳朵，「締造」了世界運動史上一大轟動醜聞。美國總統柯林頓曾在電視機前親眼目睹這個景象，表示「實在恐怖，我被嚇壞了」，這位年輕深具膽識的全球頂尖領導者都被嚇壞了，其他觀眾自然不難想像了。

泰森日前召開記者會，為咬人事件低聲下氣向何利菲德、內華達州運動委員會及廣大拳迷道歉，只因為「怕遭終身禁賽」，他表示自己是一時行為失控，往後不會再有不馴態度，而且不打算以任何藉口規避責任。但他的魯莽已為自己帶來了極度的傷害，或許這是一個「很好的表示」，或許這是一次「永遠的悔悟」，對泰森來說，不僅有失傑出運動員的器度，甚至把自己尊嚴的人格殘踏得支離破碎。固然體壇動手動腳動刀時有所聞，但像泰森這樣公然一咬再咬的瘋狂動作尚不多見，以致眾多拳迷不肯放過他，要求泰森退錢，對他心理威脅之大誠不言可喻。

泰森，這位舉世家喻戶曉的拳王，曾因強暴罪而被判刑六年，在服刑二年後獲得假釋，目前尚在假釋期間，如果再被判入獄，勢將榮譽光環盡失，留下「慘不忍睹」的殘局，縱使有朝再出現拳壇，恐怕也「好景不再」了。

不管泰森被判罰金或禁賽，尤其是終身禁賽，他都將付出昂貴而慘痛的代價。可見「出技以怒強，竊時以肆暴」的行徑，都不是一個運動員應有的風範。

研判泰森之所以有此失態動作表現，不外幾個原因：（一）歲月不饒人，實在打不過別人。（二）輸不起，心理負擔太重。（三）粗魯成習慣，缺乏高貴修持。當一個運動員求勝心太切時，可能心煩慮亂，不知所從，容易被衝動的情緒帶進歇斯底里的狀態，萌生出強烈的破壞行為。

運動員最重運動道德與運動精神，必須堅守「勝勿驕，敗勿餒」信念，體認「暗中勿使箭，強蠻必招災」哲理，把競賽得失看得淡一點，把比賽意義看得深一些，充分發揮自己體能和技巧來贏取有尊嚴的光榮勝利，其實，人生是不斷的戰鬥，但在戰鬥舞台上要爭取實至名歸的皇冠。

良知的衝擊

楊姓運動健將突然異想天開，決定退出國民黨，準備競選民意代表，消息傳出，舉國譁然，但我並不感到驚訝或意外，因為我早已知道他是一個腦筋單純，思慮淺薄的人，稍微加以煽惑，就可能暈頭轉向，不過，讓我為他惋惜的，倒是他辜負了當年全心全意提携和培植他的「伯樂先生」。

在功利社會裡，有乳就是娘，並沒有什麼不對，一旦「色衰乳乾」，當然棄之如敝屣。我們知道，孔明是中國歷史上神機妙算的參謀人才，當他第一次看到降將魏延時候，知道此人非忠貞之士，看他腦後有反骨，就想把他宰掉，以絕禍根，可是劉備愛才若渴，希望給他一條生路，引為己用，孔明在無可奈何之下，就釋放了他，孔明臨終時，知道魏延必反，因此預伏錦囊妙計，斬魏延於馬下。我以為孔明並非看到魏延後腦有反骨，才認定他日後必定做出叛國背主的事情，實在是因為看到魏延殺舊主韓玄又開城投降而有感表示：「食其祿而殺其主，是不忠也；居其土而獻其地，是不義。」的確，像這樣有不忠不義紀錄的人，又怎能奢望他成為忠義之士呢？現在，回頭看看我們的楊先生，實在比魏延好多了，誠如他自己所說，只是換一個黨，又有什麼可以大驚小怪的，當然，若是有謀略的在野黨黨魁，這時候一定好好利用他，等到超過邊際效用而毫無剩餘價值時，不得不設法把他清理得乾乾淨淨的，以免他又撞進其他的黨派去，就像公儀休勸諫魯穆公暫用吳起一樣：「起不愛其妻，而愛功名，君若棄之不用，必反而為齊矣」，所以，以這樣邏輯推演，楊君顯已危機四伏，他日恐難善終，寫到這裡，不禁為楊君揑一把冷汗。

烏鴉的心跟毛一般黑，因此，大家都很討厭牠，假如一個人的行為也跟烏鴉一樣糟糕，當然是不會受到歡迎的，做人基本態度就是應該重誠信和忠義。像溫飛卿那樣有才華的人，就因為出口傷人，德行失檢，以致仕途潦倒。李義山亦屬了不起的才子，也因為忘恩負義，恃才詭激，而落得名宦不進。因此，我在想，一個只顧私利，不顧大局的人，遲早會被人瞧不起。我和紀政有多面之緣，但沒有深交，我覺得她在感情方面也許頗多折挫，但她在做人方面卻很成功，她很講原則，也很講道義，所以廣受民眾的尊敬。其實，做人道理很簡單，就是要盡心盡意罷了，不必太過計較，也不能太過現實，大家都想做官，衙門裡那有那樣多官讓人挑選，何況有人「穿了龍袍也不像皇帝」，不是別人看了不順眼，就連你自己看了也很噁心。培根對官人曾有一段很幽默的警示：「爬高是費力的，人們由辛苦走上更大的辛苦。有時是卑鄙的，由不體面爭得體面。高位是滑腳的，一退下來不是覆亡，至少就是一時埋沒。」

也許培根當時是對自己際遇的感傷而寫的，不過，這也確是一個想爬高位者的活生生寫照。世上有很多事情不能太勉強，太勉強去做的事情，不是自討沒趣，就是力不從心，結果，也是徒勞無功的。

最近，加拿大的蘋果大批進口，小巧玲瓏，味道香脆，有一晚我們全家坐在客廳品嘗這種小蘋果，大家都一致稱「讚」，可是誰都記不起那些一任風吹雨打的「蘋果樹」，人有時很有良心，有時真是「良心被蛇吞了」，好像只要自己快樂就好了，那管別人有什麼反應，古代哲學家早就標榜人類是「趨樂避苦」的最懂享受動物，當一個人正在志得意滿，恣情尋歡的時候，所謂「恩公恩母恩大人」早就拋到九霄雲外去了。

我們知道，人性雖然很不可愛，但社會道德標準仍然存在，你所作所為，如果超越了一定的規範，還是會受到嚴厲的制裁和抨擊，飲水思源的觀念始終是社會一股道德清流，大家不見得自己會去做，可是大家都看得很清楚，當你背叛公義，當你違悖倫理時候，社會大眾就會集體杯葛你，抵制你，對你發出嚴正的聲討。究竟是你錯了，還是大眾迷去了方向，固然有時還難遽下斷言，但是，你既然受到這樣大的風浪襲擊，基本上，你就不得不自我檢討一番了。也許你什麼都不在乎，你也什麼都豁出去了，但是，你可曾想過，你最終的目的又是什麼？

不要用最單純的頭腦，去做最複雜的事情；不要用最無知的字眼，去解釋最愚昧的行為；

沒有人會相信你，也不會有人會同情你，你僥倖成功時候，別人會發出驚異的感喟，你徹底失敗時候，別人會露出輕蔑的譏笑，人要學習保護自己的秘訣，其先決的條件，就是要讓人感覺到你確有可愛的優點，不要聽任別人的擺佈，傻瓜也有清醒的時刻，當你在吃蘋果時候，不要忘掉蘋果樹上或許還有幾滴淋濕的雨珠！

皇冠的榮彩

現代人多心術不正，想盡辦法要把別人鈔票放進自己口袋，一些貌似忠厚的人，往往做出最不忠厚的事情，他外表的保護色，成了他犯罪的「遮羞符」。

今年甫當選的台南縣永康市模範母親的梁林鳳娥，從民國六十八年起就招組民間互助會，聲譽良好，備受信賴，結果突然宣告倒會，負債高達一億五千萬元，債權人多達兩百餘人，比去年永康市蔡姓模範母親倒會四千萬元更為轟動。前後任兩位模範母親，都做出非常不光彩的「示範作用」，面對眾多債權人，「和淚相看，傷心對泣」，場面相當尷尬，害得歷屆模範母親都蒙受無辜的羞辱。

過去有不少當選好人好事的優秀市民，也鬧出許多醜聞，甚至有比倒會還不名譽情節，致使大眾對這些當選者抱持半信半疑的態度。其實，凡是經過嚴謹選拔出來的當選者，大體上應該是沒有太大瑕疵，我們不能因少數魚目混珠的敗類，而產生因噎廢食的效應，尤其我們更不能因為只有少數人行為失檢，就作出以偏概全的論斷。

日前，警方發現一家高級俱樂部，擁有數百位姿色出眾的應召女郎，而且其中還有幾位出身不凡的名模，她們不珍惜得來不易的皇冠，為了鈔票，名節和貞操都可以廉價出售，在她們觀念裡，時代不同了，犧牲色相又有什麼不可？這個世界變了，這個社會也變了，人變得很可怕，也變得很現實，有很多論點都被否定，真理也顯得搖搖欲墜，只要我愛，只要我想，誰能說不宜？今天的冠冕，可能就是明日的垃圾，一頂皇冠能值多少錢？大家向錢看，金錢遊戲方興未艾，股市強強滾，玩股票成了「全民運動」，還有什麼比投資股票更容易「美夢成真」？

賺錢本領人人不同，有人用正當方法經營，有人用卑劣手段詐取。上週涉及冰晶療法詐財案的幾個嫌犯，就是利用人性弱點詐騙不法的錢財，受害者數十人，總額亦高達五千萬元。放眼這個社會，騙徒一籮筐，像「八仙過海，各顯神通」，許多聰明人都被騙得團團轉，大家在「鬥智和鬥狠」的場合中見高低，把井然有序的社會弄得烏煙瘴氣。「君子愛財，取之有道」，錢人人想要，但出賣自己高貴人格，巧取不義之財，就令人不齒了。

賢妻與情婦

女人一生為情所牽，為情所困，為情所累，甚至還為情斷送了一生幸福。杜牧筆下的「日暮東風怨啼鳥，落花猶似墜樓人」的無奈情懷正是這種心境的最好寫照。

報載，一位二十九歲翁姓女子，是丈夫心目中乖巧妻子，結縭六載，恩愛逾恆。不料接到警方通知，始知妻子在情夫浴室內上吊自盡。這簡直猶如晴天霹靂，使他難以接受，翁女像蕩婦，又像聖女，比陸小曼還癡狂，比卓文君更豪膽，實在不知道如何將她作適當的歸類。

男女感情原極微妙，一旦觸電，就銳不可當，所有值得思考的阻力都可以置之腦後，先快樂了再說。這時候，危險不怕，死亡不怕，什麼都不怕，只怕失去那份刻骨銘心的情愛。然而，有些男女感情禁不起考驗，開始時是「相看兩不厭，只有敬亭山」；隨後就「笑漸不聞聲漸悄，多情卻被無情惱」；直到結局可能是「暮雲千里色，無處不傷心」；當女人被男人遺棄時，徒然「感此傷妾心，坐愁紅顏老」了。上述的翁女，能夠有勇氣背著丈夫倒貼情人，完全是因「多情」害了她，不但賠上「名譽」，還賠上「性命」，付出的代價過於昂貴，但她似乎死得無怨無愧，徒然留給家人一堆「情何以堪」的恚恨。當男女在愛情迷宮奔竄時，一定要先冷靜下去，好好思索你的出路，不要被迷宮困住，更不要被自己擊倒。現在社會充滿了激情的陷阱，男女關係已像不設防的碉堡，假如再不自我檢點約束一下，恐怕所有災難都會接踵而至。當你偷人家妻子時候，安知你的妻子不在為你趕做「鮮艷的綠帽」。所以一對組成家庭的夫婦，必須去體驗「愛心乃最真之智慧」的真諦。事實上，夫與妻相處，男與女相愛，貴在真心、真情、真誠，唯有這樣感情，始能天長地久，終生不渝。

刻毒與無聊

我的住家樓下開了一間「鋼琴酒店」。有一天深夜時分，一位女客人喝得薄有醉意，竟跑到大街上尖聲地嚷叫，緊接著店內奔出一名壯漢，憤怒地咆哮：「妳不會喝，幹嘛喝得爛醉？」女的不理他，強拉身旁的男子，這時男的更兇猛的叱責：「妳要回去，自己回去好了，像妳這樣的女人，脫光衣服站在馬路上，也不會有人強暴妳。」也許這句話太傷女人的自尊，她居然嚎啕大哭起來。第二天，左鄰右舍開始評論這樁事情，有人覺得男的「太刻毒」，有人認為女的「太無聊」，但結論是：「兩個都是混蛋」。

本來論定是非就很困難，就像胡君和張君以前在立法院的爭論，胡君主張「和平統一」，張君表示只有「臺灣原住民才有權利決定臺灣命運」，前者搞「統戰」，後者搞「臺獨」，其實，他們都沒有資格或權利替中華民國二千三百萬的人民發言，所以就很難判斷孰是孰非了，充其量，他們的談話，僅止於自己發泄一下痛快的感情罷了。

宇宙間，太多分不清的是非，不過，也只有慎思明辨的人，始能從錯綜複雜的因果關係中，整理出一套比較合理的論點。倘若所有的事情都黑白不分，是非顛倒，那麼，這個社會不知將亂得什麼樣子。

經驗告訴我們，有很多不講理的人，偏偏會講出一些似是而非的歪理，旁觀人很容易被不實的辯證所蒙蔽，以致歷史上留下許多錯誤的判案。孟子說：「是非之心，人皆有之」，既然人都有是非之心，為什麼還有許多是非之爭？簡單說，就是人有時缺乏公正的良知，誠如王陽明的闡述：「良知者，孟子所謂是非之心，人皆有之也」。所以，他更進一步詮釋：「是非之心，不待慮而知，不待學而能，是故謂之良知」，倘若王氏的觀點是絕對正確的，那麼，是非是不易混淆的，真理也永遠有一定標準，巧辯矯飾又能發生什麼作用。

或許有人會懷疑，是與非既然涇渭分明，為什麼會有上述那樣分不清孰是孰非的現象，其實，這不是分不清，而是缺乏資訊、內容曖昧，隱藏著看不見的扭曲事實，只要我們能把良知端出來，又能看清事實的真相，自然一切是非曲直就立見分曉了。因此，荀子表示：「人之所以為人者，以其能辨也。」如果你連「辨」的智慧都沒有，你已經不是人，那還有什麼資格共論是非問題了。墨子要人「明是非之分」，其道理不是很淺顯嗎？我有時在想，縱使我有是非之明，而別人卻無是非之分，那不是扯不清彼此糾葛嗎？後來我想通了這一點，因為良知就是真理，而具良知的人畢竟占絕大多數，當大家意見一致時，其善惡的分野就一目了然了。做人本來就該「論天上之精微，理萬物之是非」，不要被私心、私欲、私念、私意所困惑，要把「對的」或「錯的」、「真的」和「假的」、「是的」或「非的」，分得清清楚楚的，做人要有原則，要有立場，要有見解，要有追求真理的信心，這樣社會才會安定，良知才感平安。不要蓄意非難受害者，只為了維護自己的個人尊嚴。愛與憎，本來是人類的雙重心性，當我們愛一個人的時候，會美化他的價值；當我們憎一個人的時候，也會貶低他的身分；像衛靈公愛憎彌子瑕的轉變心態，就是上好例子。可是，這是一種極度不可諒解的行為表現，因為，是就是是，非就是非，不能因個人愛憎而曲解是非的真義。縱使團體偏見會逼出許多分歧的是非看法，但最後依然有一定可循的真理路線。偏見從開始的出發點就有偏差，當然很難納入常規，人就靠一點良知來引起他走上正途，不管你如何翻雲覆雨，一手遮天，太陽終究會綻出一線曙光。我們都懂得，時間會使我們「是非恩怨轉成空」，不過，是非恩怨存在時，還是要拿出一些魄力和決心，來作公義的了斷。

這個社會不良分子很多，他們喜歡搬弄是非、製造是非、糾纏是非、擴大是非，乃至抹殺是非。這種人經常睜著眼睛說瞎話，昧著良心說鬼話，豎著耳朵說風涼話，因此，我們必須提高警覺，辨認真偽，區分虛實，了解善惡，把是和非劃出一個清明的界限，以免受人陷害而不自知，遭人愚弄而不自覺。我們曉得，世人評論是非多靠直覺、臆度或傳聞，因此，可靠性偏低。馬致遠的「撥不斷」：「利名竭、是非絕、紅塵不向門前惹」，可是人世間，誰能淡薄利和名，以致紅塵惹眼，是非難絕，除開你能堅守「意志的自律」（**Autonomy of John Dewey**）深信「存心」影響德行，只要我們心存良善，必能明察秋毫、判斷曲直，而表現出切合實際需求的行為。

文人重德操

文人在社會上有他的特殊地位，對羣眾產生極大影響力，因此，文人更應該有愛國、愛家、愛人的情懷，拿出「赤心以憂國家、小心以事眾生」的胸襟，為社會樹立千秋萬世的楷模。

文人中亦有大奸大惡的人，像嚴嵩，就是一個典型的馬屁精，他生病時，蒙皇帝賜藥，他在謝啓上呈上絕妙的佳句：「草木何知？允賴乾坤之長養；桑榆有幸，長承天日之光輝。」確是詞深人天，不失為曠代逸才，不幸他那矯揉做作和貪黷狡黠的性格，卻丟盡文人之臉。楊度也是民初一個才子，甘心供袁世凱驅策，他也曾撰文讚頌袁丑，極盡奉承能事。一心想「立蓋世功名以自固」的韓侂冑，像「滿面春光滿面羞」的王士楨，都有過如此的記錄，深為世人所不恥，所謂「士大夫之恥，是為國恥」，真是一針見血的讜論。思慮深遠的文人，倘屈辱一生，便無足觀。清初顧亭林，硬是認定「文辭欺人」，冷靜想想，不無道理。

一篇文章，說服力可大可小；一個文人，煽動力也可輕可重。文人言行，應該象徵公義和真理，他的思想，要匯成一股力量，洗滌天地的污穢、理出一個清淨的塵世，表現文人磊落嶙峋的風範。

文人在社會很有號召力，一個知名度較大的文人，倘能登高一呼，可能一呼百應，他的筆是一股戰鬥武器，他的思潮是征服敵人的利刃，文人並不好當，他必須頭腦清晰，慎謀能斷，把握做人原則，為自己建立完美的形象。文人，有的如雲彩間一隻蛟龍，留芳千古：有的若泥沼中一隻蚯蚓、遺臭萬年；像王維曾做過安祿山給事中，因為還不算完全忘本，曾留下兩行「萬戶傷心生野煙，百官何日再朝天」的至情至性的詩句，才得以赦免從賊之罪，後世對他爭論甚多，我想多少總沾上一些污點。總之，文人，要有靈性、要有骨氣，要有操守，這樣才能瀟灑脫脫度其一生。

鬼谷子似乎對人性有深刻的認識，他說過：「日進前而不御，遙聞聲而相思」，意思是說：「日常接近面前的，反而不去歡迎他；遠遠只聽到名聲的，反而彼此思慕」、這是多麼有內涵的見解，但願我國文人均能捐棄成見、發揚璞玉渾金的節操，重視建設性的傳統價值，為中華民國的文壇點燃不熄的火炬。

散步的幽思

我很少有運動機會，白天太忙，因此喜歡在深夜孤獨散步，在我家附近的行人道還算寬敞，走在上面，有一種「無人舟自橫」的逍遙感。

散步是一種恬淡質樸的精神慰藉，容易培養寧靜深思和自我反省。散步還可以撫平內心創傷，從迷惘中打開另一扇生命窗口、多一點謙沖，含蓄、慈善、悲憫、無私、又警敏不凡的情操，面對橫逆而來的衝擊，表現出勇者無敵的氣概和鎮定自若的神情、華爾華斯名詩「散步」，康德巨著「哲學家的散步」都印證了沙特那句名言：「散步是生活美感的點綴」，我真的好喜歡散步，因為我在散步中獲得很多、很多的啓示，我在散步中擁有自己的世界、了解愛和寬恕真諦，在堅實的腳底散發出智慧的定力。

我喜歡散步，喜歡在小雨中散步，這樣腦筋特別清醒，同時，我也喜歡在無月有星的靜夜散步，那樣走在路上，無拘無束，樂而忘憂，我可以想起過去，現在，乃至未來，有時不覺悲從中來，但多能從悲怨中迸發出生命的喜悅。

我不是哲學家，只是一個極其平凡的凡夫俗子，可是，我也有七情六慾，也有自己生活模式，我借助散步情趣去徹悟人生的真理，我明白，我不能跟別人爭，也不必跟自己比，因為爭不過別人，也比不上過去，還是在無求中多一份灑脫的達觀，因此，年齡越大，越能懂得知足的可貴，散步好處多多，勸君不妨一試。

忠臣與良臣

唐代賢相魏徵，是唐太宗心目中的「鄉巴佬」，他經常在聖殿上直言犯顏，把唐太宗氣得發昏，誓言要除之而後快，但他依然泰然處之，因為他寧願做良臣，而不想做忠臣，這種高風亮節的典範，真是教人又敬又畏，視為「人神」。

大家都曉得，忠臣的類型甚多，有的是傻呼呼的忠臣，有的是醉薰薰的忠臣，有的是迷迷糊糊的忠臣，或者伏首乞憐的忠臣，結結巴巴的忠臣，當然，還有是非不分的忠臣、黑白顛倒的忠臣、說一不二的忠臣、甚至排除異己的忠臣、結黨組社的忠臣、昧著良心做事的忠臣、嚴格說，他們的心不壞，可惜行為不夠磊落，這些忠臣只忠一個「主子」，充其量只是一種「愚忠」的表現：「君要臣死，臣不敢不死」，可是，他沒想到，這種「忠」法往往會誤了大事，因為他沒有原則、沒有分寸、沒有認知能力，儘管可勉強列入「忠臣榜」，但絕不夠格做一個賢德的良臣。

當前我們的社會就缺乏這種良臣，大家都懂得吹牛拍馬功夫，說的比唱的好，唱的又比做的好。有時上午還是「忠貞之士」，下午就可能是「叛逆之徒」，他們早晚行情不同，有如股票行情，完全看誰給他的融資多，他就俯首稱臣，溫馴得很。

其實我們國家正需要很多良臣，說他該說的話，講他該講的理論，不能畏首畏尾，專做「乖寶寶」。我們深「一士之諤諤」勝過「千夫之諾諾」，所謂「美麗謊言治療不了滿懷的瘡疤」，這是真理，值得深省。

做官基本上要「忠」，但要「忠」得入情、入理，恰到好處，同時還要能察納雅言，不徇私情，遇事敢言，寬猛得中，以便為國家建立更完備的政風。

新好男人

兩個名女人為施明德展開激烈的「爭霸戰」，施明德卻好整以暇地表示，他對於生命中每段感情，在一起時候都是全心投入，也很誠懇；分手時只有感激與祝福。換句話說，施明德在每段感情結束時，都是「揮揮手，不帶走一片雲彩」，誠如他的好友林忠正立委所說，他對女人多採「不主動，不拒絕，不負責」的三不原則，願者上鈎，能怪誰呢？但像施明德這樣男人，是新好男人，還是新壞男人，相當費人推敲。

由於男人和女人是一場打不完的戰爭，公說公有理，婆說婆有理，有理沒有理，根本理不清。有如賈寶玉初見林黛玉時那種「兩彎似蹙非蹙籠煙眉，一雙似喜非喜含情目」的朦朧縹緲感，誰也猜不透她的謎底。但女人多是弱者，大家多同情弱者，打起官司，女人反而變成贏家。

由於社會「八卦文化」盛行，女人多是暴力下的受害者，在父親節前夕，婦女新知基金會推出了一本「女人完全逃家手冊——婚姻暴力篇」，提供女性驗傷，報案和提出告訴時應注意事項。這本小手冊，無疑是在保護女性受到丈夫凌虐時一種自我防衛常識，未必能發生很大效果。不過，對做丈夫是一個很好驚惕，有些男人硬是無惡不作，把妻子當作奴隸，完全暴露出人性的卑劣面。日前台北市又傳出一件殺妻的家庭暴力事件，有一個曾姓男子用盡殘酷手段凌辱體弱妻子，兒子看不下母親長期處於暴力陰影下，希望法官把他父親關起來，免得全家受到性命的威脅。「八月蝴蝶黃，悲嘆有餘哀」，像這樣遭到全家鄙棄的男人，怎會是一個盡責的丈夫或父親？社會已發出了正義的怒吼，該是男人清醒的時候了。

人的智慧正不斷吐露新芽，一天比一天「新」，一年比一年「讚」，以致兒子對父親也有許多新的要求和新的期待，所以現代父親比傳統的父親要難當。據一項最新調查資料指出，小朋友心目中的新新好父親是不抽菸、不喝酒、不吃檳榔、不罵髒話；還要多學習科學、電腦、英文、公民道德，多體貼媽媽；可謂無所不包，需要學習地方很多。我覺得，其中最最重要的是要懂得真實的愛，從內心發出的摯愛，去愛孩子，愛妻子，愛自己的家，絕對不要暴力，只要愛，做一個標標準準的新好男人。

衝出「盲點」

人類常因執著觀念，在定刑的思路內兜圈子，使他走不出時空的瓶頸。

「盲點」這個名詞，意指網膜中央向鼻側的一個對視覺最不敏感的地方，當光線投射其上，並不產生視覺。如果把它運用在一般事理上，我們可以說，有很多問題在這個焦點上根本產生不了作用，以致導致偏差的反效果。就像時下社會上一些容易盲目衝動的人，一意孤行，徒然製造是非，把問題僵化，不但別人受害，連他自己也備受不滿的批評。就以最近「五一九」遊行活動來說，就是最好的例子。領導遊行的人，莫不沾沾自喜，可是一般老百姓卻相當反感，這是鐵的事實，我可以舉很多例子來說。

五月十九日，我原本在六點鐘要趕到銘傳教書，沒想到因交通堵塞，我到七點鐘才趕到學校，被同學抱怨一番。但是，她們知道錯不在我，完全是交通受阻原因，因此而對遊行人大表憎惡；同樣的，當天，我所搭乘的兩次計程車，兩個司機都對遊行隊伍怨聲載道覺得遊行塞車，影響他們收入，是不可原諒的行動。所以，這些遊行的份子，他們已經犯了眾怒，就等於失去民心，這種在「盲點」內亂闖的舉止，是危險而愚拙的。可能與原先的意願背道而馳，得不償失。故衝出盲點，是做人的成功要件之一，更是搞政治人的當頭棒喝。

盲點不宜久留，歷史偉大人物，都不會像盲人騎瞎馬似地，老在盲點內奔闖，尤其走進政治的死胡同時，理應重新佈局開創新猷，這樣才不致囚死自己，憋死別人，結果兩蒙其害，誰也佔不到便宜。凡高潔之士，當不存非分之念，縱使憂思鬱結，一時迷途，亦須幡然省悟，知所行止，為國為家，萬萬珍重。

我目睹一些悲劇性的政治狂熱份子，他們一生在政治盲點內徘徊，只看到自己的影子，卻看不到別人的影子，只知道朝著執著的死點上衝，卻衝不到新的據點，當自己倒下去時，還不知錯在那裏，這是多麼無謂的自我毀滅。人要活得美好，主要的是懂得愛人愛己，愛那有情、有義、有靈性的萬物。

曼德拉婚變

前南非總統曼德拉，以無比堅忍的信念征服了命運，為南非黑人打開了一扇希望之窗，他跟美國殉道者金恩，同被譽為本世紀爭取黑人民權的和平鬥士，金恩生前曾留下一句「經典名言」：「我曾有一個夢想：有朝一日，昔日奴隸的子孫，和昔日奴隸主人的子女，能在喬治亞州的紅山上一塊坐上同胞桌」。今天，曼德拉把這句話移植到南非，而且讓它夢想成真。

曼德拉把二十七年的時光，完完全全消磨在冰冷的牢房裏，妻子溫妮係反抗種族隔離的勇敢女性，曾經為他奔走營救，一度成為南非最受羨慕的恩愛夫妻。沒想到，曼德拉出獄後卻意外發現，溫妮和營救他的伙伴卻有著暗通款曲的曖昧，曼德拉承受不了這排山倒海而來的冷酷打擊，他對人表示：「我跟她在一起的這段時期，我是最寂寞的人」，顯示他能夠忍受「監獄的清冷」，卻無法承受「家庭的孤單」。因此，他態度堅強表示：「縱使全世界人都勸我和溫妮和解，我都不會接受」，從他的口吻中，不難看出他內心深處積壓著多少「愁隨潮去，恨與山疊」的激動。曼德拉在政海中浮沈數十載，仍悟不透感情的滄桑，他堅決與妻子勞燕分飛，也不願分給她一半財產，當法官宣布兩人正式離婚時，曼德拉表情冷漠嚴肅，溫妮卻黯然神傷，究竟孰是孰非，也許世人很難蓋棺論斷。

依我看法，一對夫妻最忌三點：（一）個性都太活躍，溫妮一直在政府機構中擔任要職，表現相當出色。（二）都太理想化：他們都有自己設定的理想目標，難免會相互排斥，無法維持均衡。（三）離多聚少：名作家奧亨利曾說過：「如果知道女人獨居是如何打發日子，那麼，男人決不敢結婚」，顯然曼德拉沒有熟讀「奧亨利條款」，才不能包容溫妮輕佻浪漫的行為。

回顧台灣這個社會，離婚率正節節攀升，年輕一輩已視婚姻為畏途，紛紛以「同居」取代「結婚」，那種「垂楊只解惹春風，何曾繫得行人住」的無奈，早注定了婚姻的悲劇。曼德拉的感情世界，給了我們很強烈的衝擊和啓示，我們應該懂得重視婚姻，保護婚姻，從開始到結束，都得小心翼翼地視另一半為生命中高華無匹的稀世珍品。

恰到好處

去過金門的人，都對金門一塵不染的環境感到相當訝異，金門街道暢通無阻，沒有紅綠燈管制，極少發生車禍，主要是人少，車少，爭先恐後的少，因此，看起來舒舒服服的，很有桃花源的遺風。

大家都說，金門能夠管得這樣好，為什麼臺灣不能相提並論，我想，不是臺灣管不好，記得二、三十年前，臺灣比金門還清幽，只是現在人口多了，車輛多了，沒有道德的人多了，所以，社會秩序才顯得如此紊亂而不堪入目。

「多」本來不是缺點，但「多」卻容易產生弊端，甚至有人「鈔票」多了，就開始作怪。不久前，有一家財經報紙創刊，在來來大飯店舉辦盛大酒會，我發現前往道賀的賓客，百分之八十是搞證券的。自從政府開放證券商設立以來，證券商之多已令人看得眼花撩亂，過去多是家庭主婦跑股票市場，現在大官小官，大人物小人物統統進場湊熱鬧，看起來人氣旺盛，實際上火氣也很旺盛，一時危機四伏，稍有失慎，就有崩潰走勢，所以「多」的害處不少，豈能等閒視之？

人性的缺點就是「貪多」，你「貪多」，我也「貪多」，結果大家「貪多」，弄得雞犬不寧，殺伐不已。以臺北市來說，腳踏車多，摩托車多，小汽車多，還有大卡車多，加上人口多，在眾多情況下，交通自然呈現癱瘓現象。每一位交通部長都拍胸膛表示，他有辦法整頓臺北市交通，結果直到他鞠躬下臺，還是依然故我，充其量，他多了一個「黃牛部長」的頭銜。其實，也怪不得他，因為臺北市有「太多」的「多餘東西」，除開「趕盡殺絕」，恐怕很難有轉機的好運。

我們這個社會，該多的不多，該少的不少，以致很難達到均衡效果。像適婚少女找不到理想對象，失業壯漢找不到棲身居室，豪華轎車找不到停放場所。可是，在另一方面，卻有很多物品乏人問津，像書攤上眾多刊物沒人翻閱，像百貨公司裡堆砌商品沒人購用，像藝廊上精心作品沒人青睞，整個社會架構有點鬆弛，出現不少可怕的裂痕。我有一個朋友，買了四幢房子還嫌不夠，打算再買第五幢，但是，那些身無立錐之地的人該怎麼辦？所以，戴金佩玉的人遭到洗劫，家財萬貫的人遭到勒索，因為他們「太多」使「太少」的人圖謀不軌，鋌而走險，明知暗路走多會遇鬼，但是寧願一頭栽進鬼門關。

許多事情都得節制，第一次我上加州，對當地櫻桃「愛不擇口」，親友看到我這種貪嘴樣子，第二天乾脆採了一大堆新鮮櫻桃給我，我也毫不含糊地一口氣把它裝進肚裡，結果整整瀉了一個晚上，從此羞談櫻桃事。還有一次，我們全家去吃火鍋，飯後老闆贈送一份精製五彩冰塊解渴，大概滿對孩子胃口，老闆又特別奉添一份，沒想到，我們小女兒當夜發起高燒，把我們夫婦折騰了一個晚上，都怪吃多惹禍，忽略了體內平衡作用（Homeostasis）。記得明初富可敵國的沈萬三，因為不懂得「錦衣玉食非為福，檀板金尊可罷休」的真理，終致家財籍沒，流配雲南。後漢孔融才疏意廣，雅好賓客，常常自矜：「座上客常滿，樽中酒不空」，因為來往分子複雜，在亂世備受疑忌，終致自己身首異處不算，還拖累二個小兒小陪葬。以上二位名人，一個錢多，一個友多，都「多」出了毛病。

做人要懂得分寸，什麼事情都得恰到好處。有一次我參加一個宴會，女主人喜歡出風頭，說起話來像噴泉的水喋喋不休，大家開始時都很敬佩她，最後卻很討厭她，因為她使同樣愛說話的客人都減少了說話的機會，表面上她似乎很成功，事實上她是最失敗的一個，她的丈夫話不多，卻獲得一致的好評。我們知道，女作家維吉尼亞・渥爾芙（Virginia Woolf）有很細膩的筆觸，她甚至可以指出麥雷迪（Charles Meredith）的酒裡放了太多燈油，蘭姆（Charles Lamb）的豬肉夾了太多的脆皮，意思是說，太多就失去真正的風味，「吃」尚且不能多過某種限度，當然萬事萬物也不能超越一定的範圍。

有一天，我搭乘一輛計程車，車身破舊不堪，我很同情地問司機先生生活情況，竟惹來他一路破口大罵，當然他不是罵我，而是罵盡天下人。原來他晚婚，生了六個孩子，都在中小學唸書，負擔很重，永遠喘不過氣來，他不怪自己生得太多，卻怪臺北計程車太多，政府牌照發得太多，怪來怪去，都是害在「太多」上面。

人有一種失常現象，就是貪心又貪多，最後多到賠上幸福和生命，值得嗎？

風淒雨冷英雄淚

民進黨元老派領袖施明德，剛出獄時，八表雄風、神采鷹揚，李女為他瘋狂，陳女為他痴迷，許多少女拜倒他的長褲管下，我既羨慕又妒嫉，大喊上帝不公。

曾幾何時，他形貌憔悴，愁腸百結，失去了主席寶座，又失去了立委頭銜，而今只得參選高雄市長，扛著一身豪情，留下一堆怨氣，大有英雄末路的氣慨。有人暗諷他將來可能參選「岡山鎮長」，我為他惋惜，深感「千秋萬歲後，榮名安所之」。我不懂政治，也不認識施明德，倒覺得他不失為才氣縱橫的政治人物，他有時說的話頗富哲理，做的事也很具遠見，比起時下一些不入流的政客要高明很多，可是他在政海波浪中硬是逐漸被淹沒，他搖搖晃晃的身影已抖落了一生的春華和榮光，再回首，西風乍起，對景惆悵，慷慨生哀，怎能不滴下兩行英雄淚？

悲情英雄也是「落難英雄」，原本器宇軒昂，意氣風發，不料在陰溝裡翻船，不是成為「組上肉」。像馬來西亞的安華，菲律賓的馬可仕，南韓的金斗煥，都可以說是這類落難英雄，難免「英雄老淚任縱橫」了。當這群落難英雄陷於災難時，表面上是命運造成的冤屈，實際上是他們背棄了現實的舞台，流失了許多政治資源的票倉。

十九世紀的人，喜歡把悲劇的收場改為喜劇的結局；廿一世紀的人卻喜歡把恐怖的殘忍改成暴戾的屠殺。對於悲情英雄既不同情也不憐憫，完全用麻木不仁的表情作直覺的嘲諷。他們崇拜成功的人，不管這些僥倖成功的人是用什麼手段，只要最後的戰役打了勝仗，他就是英雄，他所做的一切都是對的，沒有真理，真理就是勝利，成功就是真理，施明德離開真理顯然越來越遠了，只知「直行終有路，何必計枯榮」的想法，根本就不切時宜。

大江東去，歷史鏡頭不斷物換星移，多少風流人物在驚濤駭浪中消失無蹤，施明德獨樹一幟，對景惆悵，在日暮關山中禹禹獨行，風淒雨冷，不知所終，能留下的只是幾許殘餘片斷的寂寞回憶。政治原是一件可怕的東西，可是喜歡玩政治的人比比皆是。我記得有一次去台糖公司參觀養豬場，看到一隻豬在叫，覺得還滿好聽的，後來聽到好多豬一塊吼叫，我就有點不耐煩。假如政治人物都能怡情悅性相忍為國，那該多好。

愛得好美

南宋一代巨匠姜白石，有幸贏得紅粉知己小紅的垂青，他們愛得很真，也愛得好美，因此，留下一首柔情纏綿的紀事詩：

自作新詞韻最嬌，小紅低唱我吹簫；
曲終過盡松花路，回首煙波十四橋。

好一個「小紅低唱我吹簫」，如果閉上眼睛回味一下，豈不是一幅絕美的畫面，在暗香浮動，疏影徘徊的景致裡，一對情侶，一面低唱，一面和簫，韻淡、律雅、情最深，比沈三白、芸娘更有立體感，更有節拍感，更能教人心醉神馳。

我一生以風流自賞，但卻沒有留下片段風流韻事可資流傳，我很羨慕古今文人那些好美、好美的感情，他們的生活也許並不富裕，可是，他們竟能用全心全意把愛情作了最美的詮釋。

愛情只是感情的一部分，我覺得，只要是很美的感情，都能給人一份舒暢的快感。有一次，我看到一隻黑色母貓，躲在屋簷下正用舌尖舐牠初生的小貓，我正看得入神時，不知何故，牠竟獸性大作，狠狠地咬了小貓一口，小貓馬上發出疼痛的嗚咽，原先的美感被破壞得蕩然無存，而我立即的反應是：「持久的愛，始是最美的寫真」。

宇宙萬物中，都普遍存在著很美的感情，只要我們肯用心去看，用心去想，我們都會得到很好的啟示和教化。我一生都很喜歡上天主教教堂去望彌撒，我發覺那種氣氛好美，每一個教徒都顯得好善良樣子，可是，有一些教徒一走出教堂，樣子就變了，在他身上已找不到一絲絲那樣美好的感情，為什麼？難道宗教力量只有在教堂內才能彰顯出祂的崇高聖潔嗎？可見，一份很好的感情不是隨手可得，而是隨緣而遇的，因此，當我們遇上這份很美的感情時，我們要珍藏它、憐惜它、保護它，要用最美的心靈去擁抱這份最美的感情。

前幾天，我一大早穿越安和路時，看到一位瘦小的老母親，推著一輛帆布車，上面坐著一個身穿中學制服的小女孩，她安詳地坐在上面，一邊看書，一邊吃早點，大概她不良於行，母親很輕聲問她：「今天還舒服嗎？」女孩很不厭煩地回答：「媽，妳老問幹嘛？」這時我已掠過這對母女的身邊，其他的話已不再聽到，可是，我可以確定，這個母親正對她女兒付出最美的感情，她的女兒是感受到，但是我懷疑，她真的能感受到那樣深刻嗎？

很美的感情，宜能引發雙方共鳴，其中最好能避免遺留下傷痕或污斑。當然，很美的感情，不限於親子的感情，友誼的感情，師生的感情，鄰居的感情，其實，普天下千千萬萬的物體中，都可能隨時隨地出現一種意想不到的感情，給你強烈的震撼，而感受到欲哭無淚的喜悅與激動，真是太美了，美得使你心頭隱隱悸動，不得不享受那片刻冷暖的溫馨。一九八二年一月十三日，美國華盛頓國際機場（National airport）發生一次空難事件，一架剛起飛的飛機撞上阿靈頓紀念橋（Arington memorial bridge）墜入波多馬克河，當時河面已呈半冰凍狀態，有六個人正依附著飛機碎片等待求援，上空的直昇機放下繩索搭救，其中一位不知名的中年男士，他一再將救生索遞給其他五個人，最後自己卻慘遭滅頂，難怪人情味淡薄的美國佬，提起這位殉難的小人物，莫不讚佩不已，因為他美化了美國人，也美化了人性，把人世間的感情，勾畫出一幅很美很美的輪廓。我一向很欣賞那些勇於犧牲奉獻的人，他們的作為代表著偉大的崇高和壯烈的聖潔。

前年，我陪親戚上美國狄斯耐樂園再玩一遍，恰巧在門口碰到一位中學老師，我知道他已患癌症，正想問他為什麼還有心情來美國探親，他一把將我拖到旁邊告訴我，因為他知道去日無多，特別趕來美國跟他兩個女兒歡聚一番，叮嚀我千萬別告訴他的家人，我聽後只感到一陣心酸，一個垂死的老人，他隱瞞自己的病症，只是想讓家人活得快樂一點，真是「滿腹心事只淒涼」，這樣美的感情，這樣慘的事實，怎叫人不黯然神傷？

六天前，我坐二十二路公車，看到一位老公公上車，沒有一個人讓位給他坐，我因為距離較遠也沒有站起來，結果我左側一位中年紳士突然起立走向前頭，把老公公慢慢扶到座位上，那個鏡頭很美，也很動人，我當時很敬佩他，也感到很慚愧，因此，第二站我就提前下車了，路上我一直在想，這樣輕而易舉的事情，別人能做，我為什麼不能？我覺得這位中年紳士不是在向我示範，而是在教育全車的乘客，所以，很美的感情在任何人身上都可以表現出來，只看我們肯不肯去做。

春去花枝老

當我們看到那些老得不能再老的神女，還倚在牆角，向路人亂拋媚眼時，我們會自然而然地感到一陣心酸，覺得她不是犯賤，而是命運教她不得不低頭。我看過一本小說，敘述一個老神女小的時候就是一個雛妓，老了還幹這種行業，她的結論是：「我不幹這一行，又能幹什麼呢？」

臺灣曾有一個名妓何秀子，從小幹這一行業，一直幹到老，而且「死於任內」。她的舊識都說，她年輕時稍有姿色，騷勁十足，臨老時已經面目改觀，抖不盡一身風塵味，給人強烈的「春去花枝老」的蒼涼感。我聽完她飄零身世，為她感到難過，不知道在她「賣春的王國」裡，春去時候，又能留下什麼？我猜想，何秀子，一生靠「春」吃飯，春去了，還不是一切跟著埋葬。

因此，女人很怕遲暮，男性何嘗不是如此。當一個人還年輕時候，應該對自己有限青春作最好的支配，哪怕是戰死沙場，哪怕是情場得意，哪怕是風光一陣，哪怕什麼都沒有，只要不虛此生，活得寧靜，走的安逸，生而無憾，死而無怨，這就是很懂得修飾自己生命的人。我一直很嚮往姜白石和小紅那種「小紅低唱我吹簫」的投緣情趣，也許他們生活過得並不富裕，但日子卻過得風和日麗。像小紅這樣的歌女，她許配了一個心上的人，也就死心塌地跟他一輩子，她很能把握自己的命運，為自己青春作了最好的詮釋。

每人都會經過青春的階段，如果你在青春期毫無收穫，那不是在開創青春，而是在浪費青春；那不是在慎用青春，而是在糟蹋青春；像這樣美好的時光，這樣珍貴的日子，如果都一任荒廢，到老時，恐怕會像牆角裡的神女在那而黯然神傷了。美人最怕年老色衰時徒留很深的怨艾，因此，美人要存自知，年輕時就有最壞的心理準備卻做最認真的奮鬥。楚辭離騷有諷喻：「惟草木之零落兮，恐美人之遲暮。」如果眼看美人像草木一樣凋零，豈不是有負上蒼好生之德嗎？

神女最怕不懂回頭，一生都在風塵中打滾，衣著很鮮潔，內心很齷齪，別人不一定鄙視她，但她卻在憎恨自己，她很想站起來，可是，她已心神俱疲，她又怎能站起來？羅家倫認為，生命原是創造的活動（Creative activity），而意志卻是生命的創造力，所以，我們得生命意志去創造有價值的人生。每一個人都可以有一個動機，一個理想，一個有希望的遠景，只是有人放棄了，虛擲了，以致到垂暮之年，猶在那兒「自我清算」。最近我有一對親戚從大陸來，他們很羨慕我們的生活，一直豎著拇指對我稱讚：「你們奮鬥得好，你們奮鬥得好。」

言下之意，他們奮鬥得不夠。我很同情他們，但我想不透，他們過去為什麼不好好奮鬥呢？

大家都以為，只要一個人能改過，一切都有從頭再來的機會，我很不以為然，我發現有些人是要改過，可惜他改的不是時候，當他想改的時候，事情早成定局，再改也發生不了作用，也許他會抱憾終生，別人頂多婉言勸慰，但哪能有他那樣深刻的沉痛。

很多人都會用同情自己的心懷去想像別人對他投射作用，其實，當他回顧的時候，他會發覺：「誰在他身後嘆息啊？——什麼都沒有！」所以，善於同情自己的人，別人未必同情他。

當然，許多事情並不是那麼糟糕，只要能及時地當機立斷，仍有起死回生的機會，何況，沒有掙扎那來征服時的快感，沒有挫敗那來馳騁時的慰藉，不過，我們要掌握青春，發揮青春的效用，那是不容置疑的事實。宋玉《登徒子好色賦》說到：「東家之子，增之一分則太長，減之一分則太短，敷粉則太白，施朱則太赤。」因此，大家都同意「美」的標準就是「恰到好處」，其實任何事情也都得循著「恰到好處」原則去進行，我們對於「青春」，不能亂用，也不能濫用，而是用其所當用，讓自己在青春時候，留下璨美的紀錄。像英國名作家葛爾斯沃遜（John Golsworthy）原生長在很富庶的上流社會裡，父母為他一生作了很好的安排，希望他將來做個大律師，但他知道自己的興趣在寫作，就把所有的精力都朝這方面去發展，結果他成功了，他的家人也引以為傲，因為他把青春作了最適當的運用。

每個人都有不同的抱負和理想，只要能走上正途，都會有點成就的。青春，是每一個人都擁有的一份最有分量的資產，用得恰到好處，就有點石成金的可能。我們不要埋怨命運，我們不用羨慕別人，我們也一樣可以成功，天下是那樣大的舞臺，你可以盡心地走下去，但你要提醒自己，做個善用青春的成功人。

觀光王國

美國內華達州境內的雷諾（Reno），自稱是「世界上最大的小城」（The biggest little city in the world），原本貧困得一無所有的城市，就靠「賭」的特色，建立起舉世聞名的身價，而且使州政府的財源滾滾而進。

每一個國家都有它自己的特色，它們靠這些特色，吸引了大批觀光客前往尋幽探勝。巴黎為什麼令人沉醉，因為巴黎有它獨有的風采；日內瓦為什麼令人迷戀，因為日內瓦有它獨有的風韻；阿姆斯特丹為什麼令人嚮往，因為阿姆斯特丹有它獨有的風光。東京、底特律、馬德里、里斯本等這些偉大的城市，為什麼令人一遊難忘，因為它們都有本身罕有的優質和魅力。當然，台灣也有，否則，怎能號稱四季如春的寶島。

近半世紀，堪稱觀光世紀，各國莫不積極推展旅遊工業（Tourist industry），台灣在這方面也表現得很出色。

觀光事業又稱無煙囪工業，要讓觀光旅客在淨化環境中享受到尊榮的待遇，渡過他一段舒適而安閒的時光。我國正大力倡導觀光事業，所以必須有規劃地設定理想目標和有效進度，俾使我們旅遊服務能邁向一個高品質的新境界。因此，要特別注意四點：

一、**提升觀光品質**：

旅遊最大目的在於紓解情緒，調劑身心，增廣見識，擴大視野，開創富足的生活。出門遊山玩水，當然在找樂趣，而不是增添煩惱，如果旅遊品質太差，豈不大煞風景，倘若真能做到「青山綠水皆景點，士紳淑女俱盡歡」，那一定口碑載道，皆大歡喜。故經營者必須落實品質保證，不容有絲毫縮水瑕疵。

二、**探勘新興景點**：

國內風景區有限，若是一再舊地重遊，中外遊客都會興趣缺缺，有關單位必須另闢各種嶄新風景區，或者開發各種新的遊憩場所，並發動觀光路線，以提高觀光客遊興。

三、**培養優秀人才**：

觀光事業範圍既廣，項目又多，亟需大量優秀人才，投入這項前景看俏的行業。就以導遊人員來說，仍顯良莠不齊，有待充實與改善。一個優秀的導遊人員，無論對個人，對社會，對國家都深具影響力，細膩的分析力，和震撼的說服力。導遊人員尚且如此，其他影響國家形象更大的旅遊負責人當然更是如此。

四、增強安全措施：

這一點非常重要，不要等發生了意外災難，再發表「事後諸葛亮」的讜論。我相信「多一分防患，少一分損失」，一點馬虎不得，不管是到海外旅遊，或者在國內觀光，都要徹底加強安全防範工作，一定要做到「平平安安出門，快快樂樂回家」，在整個旅遊過程中，事前、事中或事後，都必須設想週到，環環相扣，以安全為第一要務。

當前我國觀光事業發展蓬勃，可惜旅遊業素質仍為人所詬病，政府應善盡輔導職責，杜絕色情污染，防堵誤導旅客以粗糙方式進行旅遊休閒活動，對於消費者權益更應力求有所保障。

藝苑春曉

今天是中國文藝協會成立六十周年紀念日，在藝文界諸多先進共同努力耕耘下，已累積了相當豐碩的成果，這是有目共睹的事實。文藝是一條很難走的路，需要付出很大代價和心力，走得很辛苦，但也走得很有價值。

在過去的歲月裡，文藝工作者，有悲歡，有離合，有血，有淚，有值得回憶的許多史實。在文協隊伍裡，有老幹，有新枝，有曠世不羈的奇才，也有氣宇宏深的國士，由於他們篳路藍縷，鍥而不捨的奮鬥，始奠定了現有的文協根基，我們慶祝這個屬於我們自己的日子，回顧既往，展望來茲，內心的感受應該是十分酸楚，也十分自豪。

我曾擔任兩屆文協秘書長職務，愧無建樹，但跟藝文界人士有較多接觸機會，承前輩告訴我，協會在台初期，政府曾有若干經費補助，對業務推展助益甚多，後來因大環境有所改變，各項固定收入由逐漸減少而至完全歸零，當我接秘書長時，每月入不敷出，捉襟見肘，幸賴王理事長到處張羅，始能順利度過難關。現任洪理事長私人財力雄厚，出錢出力，使協會展現出一片新興景象。

文協人才眾多，可以做的事情也不少。愛丁堡大學教授喬治、威爾遜（George Wilson）說過：「實現理想很難，但總比沒有理想好」，我個人有些想法和看法，或許不易實現，但基於對協會有份深厚感情、仍想藉此提出就教於各位文壇先進。

一、出版精美藝文叢書：由出版公司出版叢書固然不錯，但若由文協籌印，意義一定更大。協會應向政府相關機構爭取補助款項，有計畫的出版一系列藝文叢書，種類可廣及文藝、攝影、美術、舞蹈等各類作品。印刷要美，圖文要新，內容要有吸引力，並且要兼俱可讀性和可看性、出版後廣送中外圖書館典藏，使其「藏其名山而不朽」。

二、舉辦兩岸大型文藝座談會：邀請兩岸知名的專家、學者和作家舉辦大規模座談會，增進兩岸文藝交流管道，擴大兩岸文化傳播訊息。文協應該扮演舉足輕重角色，建立權威性和影響力。在會期內，可兼辦書刊展覽會，設立閱讀看板，讓與會者可隨心所欲的在範圍內發展真知灼見，俾供各界參考。

三、籌辦青少年國際文藝夏令營：遴選可造就的愛好文藝青少年，假國內舉辦國際文藝夏令營，我們要使文藝跟國際接軌，擴展青少年寫作視野，多交外國朋友，多瞭解外國生活習俗，激發其文學潛力，培養其文學思潮，為國家培育更多優秀的文藝新一代。

四、合辦大學文藝講習班：主動跟各大學洽辦定期文藝講習班，每班人數不宜太多，但講習題材一定要切合學生需求和興趣，啓發學生對文藝的探索動機，並盡力協助其將作品發表在報刊上。在課堂上，給學生充分參與感機會，即席發言，隨時提問，期使師生打成一片，達成水乳交融的教學目標。

五、定期舉辦有獎徵文比賽：獎金固非最大誘惑，但卻具莫大鼓舞力量。文協應透過社會關係，籲請各大企業家鼎力相助，再敦聘名重士林的文藝界人士共襄盛舉，經費要足，獎金要豐，作品要棒，精挑細選出一些擲地鏗鏘的佳構，以作為這一個時代的歷史見證。

六、籌建文協活動中心：設立文藝基金會，公開向各界勸募經費，並爭取政府相對配合補助款，籌建一座八層樓獨棟活動中心，各層樓可包括多元視聽館、攝影暨字畫展覽館、文藝叢書或藝品陳列室、國際文藝交誼廳等，並設置服務站，專為老作家提供各項志工服務，最好附設「作家精舍」，使孤苦無依，貧病無助的老作家，能擁有一個自己的家，以免餐風宿雨，淪為遊民。

七、這個理想最難實現，但也並非空中樓閣的幻想，而是踏踏實實的現代化建築物，世上沒有不能完成的事務，只怕沒有理想的推動者，誠如聖嚴法師留下的警語：「信心、毅力、勇氣，三者兼俱的人，可以完成任何事情」，眼看許多龐大建築物均能一一克服困難建造起來，文協這座建築物假以時日也當能竟其全功。

文協，走過風風雨雨的歲月，也帶動文藝邁向壯濶寬廣的大道。以上諸多理想，確難一蹴而成，不過，只要我們信心和意志夠強，終能「磨鐵成針」。文協任重道遠，對社會負有神聖使命感，不僅要協助政府淨化人心，還要輔導大眾美化人生。文人在社會有一定地位，不能妄自菲薄，要用如椽大筆，寫淑世文章；要以慈悲情懷，做助人志業。在社會道德日趨墮落的今天，至少要自我鞭策，盡心盡力朝三個方向去努力：一是兼善天下：不能獨善其身，還要去關心別人，因為個人幸福存在於眾人幸福之中。二是要「眾樂樂」：不能只顧自己、要讓大家一塊快樂，因為大家若都愁眉苦臉，你又怎能快樂起來。三是「憂天下」：你不能只憂煩自己，要想得深，看得遠，世界只有一個家，那就是所謂「四海一家」，在這個大家庭裡，我們都是其中一分子，我們必須營造一種氛圍，讓所有的人都能感受到溫馨的滿足，當全人類都能相親相愛時，文協也必定會洋溢著滿滿的喜悅。

忝為文協一分子，對文協有太多期許，但願文協能傳承文藝，弘揚國粹，敲響時代巨鐘，留下千秋典範，真正成為國內文藝界重鎮，永遠是點燃國家文化的一盞明燈。

明天的期待

雖然我已經年紀不輕，但依然對明天充滿希望，因為我知道，一個對明天沒有希望的人，會活得很苦、很淒涼，更是徬徨失措，誠如富蘭克林所說：「希望是生命的泉源、失去它生命是會枯萎」。

明天，有一百個、一千個、一萬個，甚至永無窮盡的明天，然而，每一個將要來臨明天，都將給我們帶來新的鼓舞和新的展望，假如你先否定明天的意義，那麼，你就會失去信心和勇氣。

現代人多對明天有著太多的憧憬，可惜又捉不住明天任何一點訊息，因此，把自己陷落在一個迷惘的胡同裡，左撞右闖，都理不出一個清晰的頭緒，以致憂傷滿懷，苦惱纏身，天地之大，幾無容身之地。

年輕人，鬥志旺盛，火力充足，照理說，應該對明天有一股狂熱的喜悅，不幸由於社會的壓力太大，大到他無法甩掉沉重的包袱，深深感覺得生活的寂寞和生命的凋零，難怪有人挺而走險，有人憤而自盡，其實，人生並不是如此坎坷，完全繫於你個人一念之間，你可以活得很好、活得很愉快，只是你忽略了身旁所擁有的幸福。

當我年輕時候，我總覺得路還很長，何必急於一時追尋，等到我懂得珍惜過去遺憾，我又覺得自己日暮黃昏，垂垂老矣，這時我想起清朝名士屈復的一首詩：「白金買駿馬，千金買美人，萬金買高爵，何處買青春」，青春真的一去不復返，徒留我一縷「思春春不在」的無助感。

說也奇怪，現在年輕人對自己多缺乏歸屬感，更缺乏有信心，老覺得自己希望不大，乾脆及時行樂吧！因此，替社會製造許多困擾與災難。像有些年輕人犯有嚴重的憂鬱症，每天精神恍惚、感情蒼涼、思慮遲鈍，他對任何事情都不感到興趣，好像世界末日已經即將來臨，他不愛親人，也不愛自己，他只是一味地把自己推進悲哀的谷底，他不但自己不快樂，還把不快樂氣氛感染給周遭的人，像他這樣活著，不是太痛苦嗎？

我以前總以為每一個人都活得很快樂，實際上，這是一種錯誤的觀念，因為有很多人活得很不耐煩，稍有挫折，就會使他潰不成軍，難怪杜鵑窩裡已容不下太多的「新客」。

儘管人生苦多於樂，為什麼有很多很苦的人依然活得很快樂，說穿了，就是他有耐力、有毅力，有擊不垮的心力，他會在絕處逢生、死中求活、潦倒中站起來，他不一定是一個勇者，更不一定是一個強人，然而，他對明天永遠寄予濃濃的希望。像不久前來我國訪問的殘而不廢的肯尼，就是很好例子。又像蘇格蘭王在拔刀自殺時，看到蜘蛛結網的啟示，又繼起奮戰的勇氣。人生是有很多不幸，但是只有對明天抱持希望的人，才會舉起堅實的步伐，走出錦繡的前程。

存在大師齊克果深信自己會短命而死，於是將龐大財產揮霍一空，結果竟然沒有死去，才省悟自己的浪費。心理大師弗洛伊特因喉癌開刀三十六次，他深信自己可以戰勝病魔，才在「痛苦中留下深思」，人最怕沒有明天，因為明天是希望的象徵，也是最富挑戰的日子。

社會競爭很劇烈，弱者是註定被淘汰的分子，你不要自貶，硬把自己歸入弱者的行列，上天是公平的，命運是靠你自己去決定，儘管你的條件不如人，但依然有成功的希望，希望也不是別人定的，完全靠你的努力和鬥志。美國籍的九十二歲高齡老祖母克魯克斯夫人，用兩天時間攀登日本富士山的頂峯，因為她對明天充滿信心。

假如你對任何明天不存著一絲絲希望，那麼，你這一生可能就從此偃旗息鼓，你不再有戰鬥企圖，不再有衝刺力量，不再有奮起直追的膽識，你會坐以待斃，你會不求長進，你，你也許變成廢人，變成不受人尊敬的人。

明天，明天是一個新的開始、新的契機，儘管你昨天命苦，今天運差，但，明天未必就同樣倒霉。每一個人都有時來運轉的一天，明天是一個未知數，他可以很美、也可以很醜，只要你替他塗上豔麗的色彩，她依然楚楚動人。因為你要為明天舖路，所以，你先要在今天打好基礎。那怕只墊一塊細磚、一片薄瓦，都將助益不淺。千萬不要把自己搞昏，要清醒過來，路是自己走出來的。

年輕就是本錢，但這種本錢不能毫無意義的支出，傳云：「君子役物、小人役於物」，人必須能內省，始能輕外物，而力求上進，創造一番功業，使生命堅韌而充實。